だれにでもわかる
NFTの解説書

ITビジネスコンサルタント
足立明穂

Live Publishing

だれにでもわかる　ＮＦＴの解説書

装丁　城井文平

はじめに

　この本を手に取っていただいたということは、ＮＦＴやＮＦＴアートに興味があり、なぜ、大きな金額でデジタルデータが取り引きされるのか不思議に思っているからではないでしょうか？

　特に、２０２１年の3月、オークションで、Beeple（ビープル、本名：Mike Winkelman マイク・ヴィンケルマン）氏の作品『Everydays：The First 5,000 Days（毎日：最初の５０００日）』（５０００日間毎日作成したデジタルアートをコラージュして1枚のデジタル絵画にした作品）が約75億円もの金額で落札されたというニュースは世界中を駆け巡り、「ＮＦＴって何？　なぜ、そんな高額で取り引きされるの？」と多くの人が疑問に思ったことでしょう。

　実は、私自身も、その当時は何が起きているのか、さっぱり分からない状態でした。コンピュータやインターネットは本業なので、デジタルデータは簡単にコピーできることは説明されなくとも知っています。オリジナルもコピーもまったく同じものになるのは、疑う余地もないどころか、企業研修やセミナーでも何度となくそう教えていました。だからこそ、ＮＦＴアートではオリジナルであるから希少価値があり高額取引されるということが、なぜそんなことになるのか、本当に不思議でした。

しかし、調べてみると、ＮＦＴはブロックチェーンに関連する技術であり、デジタルの価値を大きく変える、とんでもない技術なのだと分かってきました。ＮＦＴアートが数千万円、数億円で落札されたというニュースに目がいきがちですが、いわばバブルであり、これは現在落ち着いてきています。だからといって、ＮＦＴの評価が下がったわけではなく、今はデジタルアートの範囲を超えて、電子書籍、スポーツ、ファッションなど、新たな可能性を示すビジネスが広がりつつあります。

元々、ビットコインから始まるブロックチェーンについては、２０１４年に初心者向けの電子書籍を出したこともあり、ビットコインやブロックチェーンについて、銀行や商工会議所のセミナーで説明してきていました。だったら、ブロックチェーンの基本を押さえつつ、ＮＦＴについても分かりやすい解説書が必要だと思い、電子書籍『ＮＦＴ解説本　なぜ、デジタルアートが75億円で売れるのか？』を上梓したのがこの4月でした。その後、この電子書籍への問い合わせは引きも切らず、一般書籍として発刊の必要性を痛感していました。

本書では、最近のNFTの動向をより分かりやすく、さらに、今後の世の中をどのように変えていくのかといった内容も盛り込んでいます。

特に、先にも書いたように、デジタルであってもオリジナルであることを証明できるということは、どんな意味を持つのか、これまでのデジタルの概念と大きく違うということを解説しています。

さらに、NFTの基本となるブロックチェーンについても説明し、〝信用するのではなく、証明できる〟ということが与えるインパクトについても解説しました。

自己紹介が遅くなりましたが、私自身は元プログラマーで、IT業界で30年以上仕事をしています。一時期はアメリカのシリコンバレーで仕事をしていて、インターネットが、まだまだ知られていない1993年にアメリカで初めてインターネットに触れました（Windows95より前の話です）。そのときの衝撃は、今も忘れられません。ある日、上司のアメリカ人エンジニアが、ちょっと来いというので、彼の席まで行ってみると、パソコンの画面に「Kyoto University」と表示されていました。今では、京都大学のホームページが世界中からアクセスできるのは当たり前ですが、当時の私には、カリフォルニアのオフィスにある画面に、京都大学と表示されていることの意味が分からず、ポカンとしていたものです。それを見た上司は、マウスをクリックして、今度は日本の天気予報を表示します。「なぜ、日本の天気予報が表示される？　どういうこと⁉」と、私は、半分、パニックになっていました。

「こっ、これは、何？？？」

と、質問するのが精いっぱいでした。

それを聞いたアメリカ人の上司は、ニヤッと笑って、

「It's Internet!」（インターネットだよ！）

と答えたのです。

初めて聞いた「インターネット」という言葉に取りつかれたように調べまくり、「世の中が激変する！」と確信しました。帰国後、日本の会社の役員に、今すぐインターネット関連の事業をやらないと出遅れると説得したのですが、なかなか理解を得られず、一番安いインターネット回線を契約するのに3か月もかかったのです。それぐらい、まだまだ日本ではインターネットのことは知られていない時期でした。しかし、Ｗｉｎｄｏｗｓ95が発売され、あれよあれよという間に、インターネットが注目されるようになりました。その会社では、1年後にインターネット・プロバイダー事業を立ち上げ、さらに、インターネット・コンテンツ事業も立ち上げるまでになったのです。その後、インターネットに関するさまざまなビジネスを経験すべく、

インターネット関連のベンチャー企業を転々としました。動画配信、衛星インターネット、ポータル事業、オンライン通販、オンラインスケジューラーなど、実にいろいろなことを経験しました。

一方で、官庁関係の仕事に関わることも多く、そういう経験もあってか、銀行や商工会議所、士業の集まりで、講演を依頼されることも少なくありません。異業種の方々に、ＩＴのトレンドを分かりやすく伝えることをモットーに、ビットコインやブロックチェーン、ＳＮＳなど、いかにビジネスに活用できるのかをお伝えしています。

本書も、専門用語を使うことなく、分かりやすく気軽にＮＦＴについて理解できるように書きました。最後まで読んでいただければ、ＮＦＴがなぜこれほど注目されるのか、さまざまな業界に応用されつつあるのかが、分かってくると思います。

なお、私自身は、ＩＴ屋なので、アートのことはよく分かりません。そのため、ＮＦＴアートを高値で売る方法とか、ＮＦＴ作品への投資については書いていないので、その点はご了承ください。

まずは、肩の力を抜いて、ＮＦＴの現在地を俯瞰（ふかん）し、さらに、ＮＦＴがもたらす未来を想像しながら読んでみてください。

きっと、今はニュースのネタでしかないように見えるＮＦＴの持つ無限の可能性に目を見開かされると思います。

※本書では、暗号資産ではなく、一般に広く知られている仮想通貨という言葉を使っています。

※ＮＦＴの技術は、日々進化しており、毎日のように世界中で新たなＮＦＴマーケットプレイスもオープンしています。そのため、極力、最新の情報に基づいて記載していますが、本書の内容は、２０２１年9月時点での記述であることをご理解ください。

※本書は、ＮＦＴアート等の投資を薦めるものではありません。本書の情報で投資判断するのはご遠慮ください。アート作品等の投資に関しては自己責任で行ってください。

目次

第3章 NFTの可能性

第1章　NFTって何だ？

NFTの始まりは米粒ほどの画像とネコのゲーム！

NFTは、どう始まったのでしょうか？

NFTアートが高値で取り引きされることが注目されるようになったので、アーティストが時間をかけて作ったCG（コンピュータ・グラフィックス）から始まったように思ってしまいますが、実際は、縦2ミリ、横2ミリの米粒のような画像[※1]からスタートしています。

2017年の初め、アメリカのベンチャー企業「Larva Labs（ラーバ・ラボ）」のMatt Hall（マット・ホール）氏とJohn Watkinson（ジョン・ワトキンソン）氏は、24ピクセル×24ピクセルという小さなドットで描いた顔の画像をコンピュータで自動生成する作画ツールを開発しました。これらは、ドット画と呼ばれる画素の粗い昔のコンピュータゲームのような画像で、それぞれが少しずつ違っているという個性を持っています。彼らは、これを何か面白いことに使えないかと考え、デジタルアートの個々の所有権を提供する実験を思いつきました。その年の6月には、まだ規格としても確定していないNFTを使い、「CryptoPunks（クリプトパンク）」[※2]という名前をつけて1万枚もの小さな画像を無償配布していました。当時は、仮想通貨イーサリアムのガス代と呼ばれる手数料を数セント（数円）払うだけで、小さな画像を自分のモノにすることができました。このように、デジタルの新しいことが大好きな小さなコミュニティで、仲間内のお遊びとして始まったのです。

リリースした翌週には、『Mashable（マッシャブル）』というオンラインメディアが紹介したことで[※3]興味を持った人たちが求めるようになり、だんだんと値段がついて売買されるようになっていきました。その後、これらの画像は、最古のNFTアートプロジェクトであり、最初のNFT作品ということから値段が吊り上がっていきました。なかには750万ドル（約8億円）で取り引きされる画像もあります。米粒のような小さな画像、しかも、画素の粗いカクカクの顔の画像がこんな価格で取り引きされるなんて、当時（といっても、4年前ですが）は誰も想像できなかったでしょう。まるで、ビットコインが出てきた当初、お遊びでやりとりしていたものが、いつの間にか数十万円、数百万円の価値になったことと同じようなことが起きているのです。

「クリプトパンク」の数か月後、ＮＦＴを利用したゲームとして有名になったのは、「CryptoKitties（クリプトキティーズ）」[※4]です。このゲームは、カナダにある新しい技術やサービスを支援するインキュベーション企業「Axiom Zen（アクシオム・ゼン）」社によって２０１７年11月末にリリースされました。わずか1か月で18万人のユーザを集めたこともあり、当時、始まったばかりのブロックチェーン・ゲームとして注目を浴びました。

このゲームを簡単に説明すると、ポケモンのようにネコのキャラクターを集めるゲームなのですが、すべてのネコには特徴があり、同じものが存在しません。また、集めたネコを交配させて繁殖させることが可能で、生まれてきたネコは、親の個性を引き継いで新たな模様になります。ネコのキャラクターは、ＮＦＴによって所有権の売買ができる仕組みになっていて、特に珍しい模様のネコは人気になり、高値で売買されるといったことが起きています。２０００万円で落札されたネコもあり、それが話題になって、このゲームで一攫千金を狙うユーザが集まってきました。今では、取引額が４０００万ドル（約43億円）になる大きなマーケットに成長していきます。

ただ、この頃は、まだオンラインゲームであること、参加するには仮想通貨イーサリアムでの支払いが必要であることから、ゲームマニアで、その上に仮想通貨も持っているというかなり限られた人たちだけの楽しみで、まだまだ一般の人の目に触れることはありませんでした。

さて、このようなゲームから広がったＮＦＴですが、その技術自体は、２０１７年9月20日に「スマートコントラクト」の規格「ＥＲＣ７２１」として定められました。先にも書きましたが、「クリプトパンク」は、この規格が定められる前に実験的にＮＦＴを使っており、「クリプトキティーズ」は、その2か月後にはリリースしていることを考えると、ＮＦＴの可能性をすでに感じていたということでしょう。なお、「スマートコントラクト」や「ＥＲＣ７２１」については、第3章で説明します。ここでは、ＮＦＴの技術は、２０１７年に登場したばかりで、まだまだ新しい技術であることを知っておいてください（ちなみに、２０１７年は、ドナルド・トランプ氏が第45代アメリカ合衆国大統領に就任した年です）。

この２０１７年ですが、今では老舗となっているＮＦＴマーケットプレイス（ＮＦＴ作品を売買できるサイト）である「OpenSea（オープンシー）」も、12月にスタートしています。このときに、ＮＦＴアートを売買するサービスを立ち上げるとは、なかなか目のつけどころが鋭いですね。今では、１００万人以上が登録し、ＮＦＴアートの売買を行う巨大なマーケットプレイスとなり、２０２１年7月20日には、シリーズＢ（ベンチャー企業の経営が安定し規模拡大での投資）で投資額１億ドル（約108億円）以上を集め、ユニコーン企業（評価額10億ドル、約1080億円のスタートアップ）となりました。この評価額がどれぐらいかというと、ニュース・アプリで有名な、日本のユニコーン企業の代表と言えるスマートニュース株式会社とほぼ同じで、スマートニュースが7年で達成したことを（これでも十分、すごいことなのですが）、たった4年で達成していることになります。いかにNFT市場が急成長しているのかが分かりますね。

デジタルアートで火がついたNFT

NFTがここまで広がった大きなターニングポイントは、デジタルアート作品の売買です。

2021年3月に、アメリカのアーティストであるビープル氏の『Everydays：The First 5,000 Days』が、6930万ドル（約75億円）で落札されました。オークションが行われたのは、世界でも1、2の規模を競う老舗クリスティーズだったので、一夜にして、世界中をこのニュースが駆け巡り、多くの人が驚きました。

『Everydays：The First 5,000 Days』というデジタルアートは、ビープル氏が2007年の5月1日から毎日、1日1作品を制作し続け、その集大成として5000枚の絵を1枚に貼り合

わせたものです。ＮＦＴアートなので、今でもオンライン・クリスティーズのサイトで誰でも閲覧することはできます。[※5]

この頃から、「ＮＦＴアート」という言葉が生まれ、多くの人が「デジタルアートは高値で取り引きされる」ということに注目するようになりました。デジタルであれば、どんなデータでもＮＦＴにできるので、画像、写真、動画、音声なども、ＮＦＴ作品として出品され始めたのですね。

そして、ＮＦＴマーケットプレイスも、「OpenSea（オープンシー）」、「Rarible（ラリブル）」、「Mintbase（ミントベース）」、「NiftyGateway（ニフティ・ゲートウェイ）」などが、次々とオープンしました。日本でも、仮想通貨取引所「CoinCheck（コインチェック）」がＮＦＴを扱うようになり、「nanakusa（ナナクサ）」など、雨後の筍のようにＮＦＴマーケットプレイスがオープンしています。仮想通貨市場のデータを収集している「Dapp.com（ダップ・ドットコム）」に掲載されているだけでも、世界中に２００以上のマーケットプレイスがあり、[※6]日本など非英語圏のマーケットプレイスを含めると、その倍以上になると思われます。

なぜ、リアルのアート作品の価格は高くなる？

ＮＦＴアートの話の前に、リアルなアート作品の価値について見ておきましょう。

絵画や彫刻、陶芸に音楽、映画などなど、実にさまざまなアート作品が世の中にはあります。なかには、板に釘を1本打ち込んだだけとか、白いキャンバスに青い線を1本引いただけといったものもあります。そんなものがアート作品なのかよく分からないですし、さらにそれが高額で売買されるというのも、アートに関心がない人にとっては、とても理解できません。

アート作品が高額で売買される大きな理由の一つに「希少性」があります。この点については、アートが理解できなくても分かるのではないでしょうか。スーパーの特売でも、「先着50名様限り！」と書いてあると、気になりますよね。50名しか買うことができないと思うと、つい、それを買い物かごに入れてしまいます。人間は「限定」という言葉に逆らえないのです。

同様に、アート作品も一点物とか最初の作品となると、他にはない物なので希少性が評価されます。その結果、どんどん値が吊り上がっていくわけです。最初はありふれたものであっても、時代が過ぎて現存しているものが数点しかないとなると、桁違いに高額になるものも少なくありません。例えば日本の浮世絵は、江戸中期から後期、庶民にも親しまれ、今の雑誌や新聞のような存在でした。そのため、日本からヨーロッパに輸出される陶器の包み紙や緩衝材として使われ、その包み紙を見たヨーロッパの人たちが浮世絵のすばらしさに気づいて収集していたという話もあります。ただ実際のところは、１８６７年にパリで開かれた万国博覧会での浮世絵の展示で、当時のヨーロッパの上流階級の心を摑み、海外で収集されるようになったというのが真相のようです。

このように、アート作品では作者の人気が上がっていくと作品を手に入れたいと思う人が増え、その作品の希少価値が上がって青天井に値段が高騰していきます。オークションでは、最初は数十万円だったものが、アーティストの人気が上がり繰り返し出品されていくと、数千万円、数億円といった値段がつくようになるのです。

デジタルデータは手軽にコピーができるから、価値はあっという間にゼロに！

リアルなアートに反してデジタルデータは、手軽にコピーができます。スマホで撮影した写真データをＳＮＳにアップしてもメールに添付して他人に渡しても、自身のスマホに入っている写真が消えたりはしません。無意識のうちに、どんどんコピーを作っています。会社の中でも、稟議書や提案書、出張報告書など、パソコンで作る書類データは数えきれないほどコピーされて、関係者に送られます。

紙の書類の場合は、複製し続けていると、細かい文字が潰れて読みにくくなってしまいます。しかしデジタルの書類はコピーのコピーであっても、まったくオリジナルと変わりません。デジタルデータはまったく同じなので、オリジナルとかコピーとか区別する意味がありません。その結果あっという間に希少価値は下がり、ゼロになることもあります。

SNSが広まったことにより情報が一瞬で広まりますが、その価値が下がってしまうのも、あっという間です。その情報の価値（自分だけが知っているという価値）は、誰にも言わなければ価値は高いままです。しかし逆説的ですが、価値は他の人に伝えてこそ決まります。つまり他人に教えて、「すごい！」とか「どこで知ったの？」と言われてこそ、初めて情報の価値がはっきりします。「あなただけに教えるけどね……」という言い方は、情報の価値を少しでも吊り上げようとする欲求から出てくる言葉です。伝えることで価値は上がるのですが、伝えた瞬間にSNSで拡散されて誰もが知っている情報になってしまいます。そうすると情報の価値がなくなってしまうので、また新たな情報を1分でも1秒でも早く情報を得たいという衝動に駆られているのが多くの人々なのです。その結果、一番にコミック全巻読み終えるとか、ドラマの全シリーズを最後まで見終えるとか、そこに価値を見出している人たちが出てくるのです。

この情報の拡散と価値の相関関係と同様に、デジタルの世界では手軽にデータはコピーができてあっという間に広めることができるからこそ、希少価値はどんどん下がっていき、その上コピーを作るコストがあまりにも低いので、限りなくデジタルデータの価値はゼロに近づいていきます。

ビジネスで考えた場合、価値が下がっていくことは、何がなんでも防がなくてはなりません。例えば、映画や音楽を配信しているような企業にとっては死活問題です。だから、あの手この手で、コピーできないようにコピー防止機能を入れて防いでいます。一方で、その抜け道を探そうと躍起になっている人たちもいます。そうなると、常に新しいコピー防止の技術開発が必要となり、その開発費・導入費がコンテンツ料金に上乗せされていくことになります。

そんなデジタルの世界に、オリジナルとその他のコピー（レプリカ）とを区別する仕組みとして登場したのがＮＦＴなのです。

デジタルデータにオリジナルであるという証明が

デジタルでは、オリジナルもコピーもまったく同じだと説明しました。もちろんその通りなのですが、NFTでは、オリジナルとコピーの区別ができるようになっています。オリジナルだと証明されたデジタルデータをコピーしたところで、やはりコピーはコピーにしかなりえません。デジタルの仕組みを知っていれば、知っているほど不思議な話に聞こえてしまいます。

リアルのアート作品ではどうでしょう。絵画などのアート作品には、悲しいかな贋作と呼ばれる模造品が存在します。素人が見ても明らかに偽物とわかるようなものもあれば、専門知識を持った鑑定士の目も欺くような精巧に作られた贋作も存在します。美術館によっては、盗難に遭わないように精巧な贋作を飾って、本物は金庫の中に保管しているという噂もあるぐらいです。

素人が見分けるのが難しい贋作を掴まされないためには、鑑定書で判断するしかありません。鑑定士が「これは本物である」と鑑定書を作り、その鑑定書があるからこそ、素人でも安心して売買できます。逆に鑑定書がないと、受け付けてくれないオークション会場もあるほど、鑑定書は重要なのです。

このような鑑定書と同じようにＮＦＴはデジタル作品に対して機能します。ただ、デジタル鑑定書としてのＮＦＴは、具体的に人間の目で読める鑑定書が存在するわけではありません。もしリアルのアート作品と同じように、デジタル鑑定書をＰＤＦファイルで作ったとしたらどうなるでしょう。デジタルアート作品のデータと一緒に鑑定書も含めてコピーされてしまえば、コピーにも鑑定書がついているので、どれが本物なのか区別つかなくなってしまうからです。

ＮＦＴでは、オリジナルはどこに保存しているのかを記録しており、その記録をインターネット上で誰でも確認できるようになっています。この記録を誰でも確認できるということこそ、オリジナルであることの証明として機能するようになるのです。オリジナルのデジタルアートをコピーして、いくら「これがオリジナルだ！」と言い張っても、ＮＦＴの記録を見ればオリジナルのデータがどこにあるのかが分かるので、コピーだとばれてしまうのです。

でも、そのＮＦＴの記録が改ざんされてしまったら、本物とコピーが入れ替わってしまうことになりかねません。では、どうやってＮＦＴの改ざんを防ぐのでしょうか。

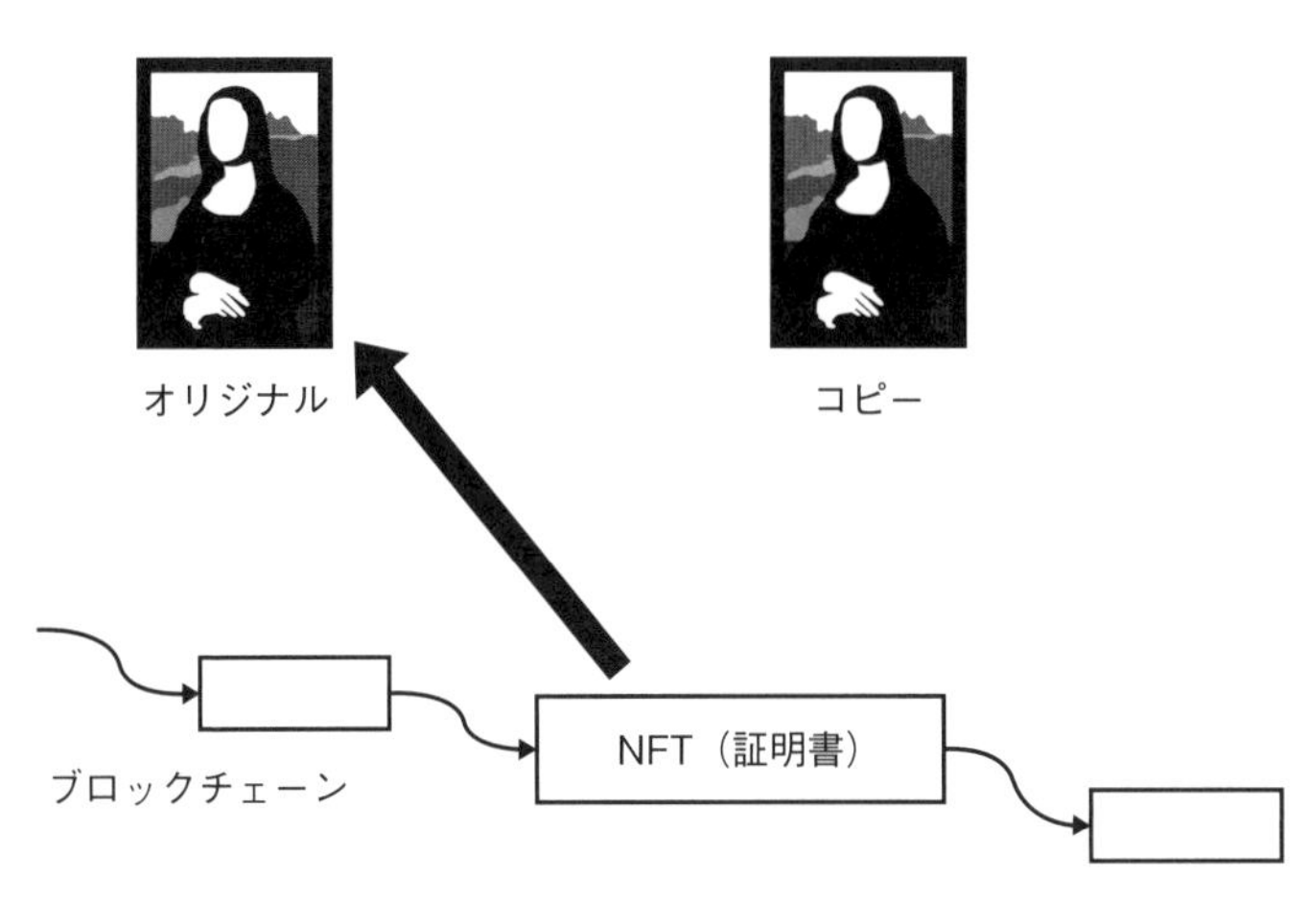

ブッロクチェーンのNFTがオリジナルを示す。

NFTを支えるブロックチェーンとは？

ＮＦＴではオリジナルのデータがどこにあるのかを指し示していると説明しましたが、その根底にあるのはブロックチェーンです。ブロックチェーンに記録されているからこそ改ざんができないようになっているのですが、このブロックチェーンの基本を知っておくと、より一層ＮＦＴの理解が進みます。できるだけ専門用語を使わずに分かりやすく説明してみます。

ブロックチェーンは、仮想通貨ビットコインについて書かれた論文[※7]に登場します。論文といってもそれほど難しいものではなく、また、学会誌などに掲載されたものでもなく、インターネット上に投稿されたものです。ただ、そこに書かれているアイデアが画期的でした。英語の論文なのですが、著者は「サトシ・ナカモト」となっており日本人ではないかと一時騒がれました。いろいろな憶測が飛び交い、「サトシ・ナカモト」ではないかと勝手に決めつけられた数学者やコンピュータ・エンジニアもいたのですが、全て否定されています。逆に、「自分が、サトシ・ナカモトだ！」と名乗り出てくる人物もいますが、ブロックチェーンの最初に記録されているビットコインを送金することができていないので、それらはすべて偽者なのでしょう。いまだにどこの誰なのか分かっていません。

書いた人物については謎のままだとしても、その論文に書かれているブロックチェーンのアイデアは、これまでとまったく違う発想でデータの正しさを証明するものでした。どれほどすごいアイデアかは、ブロックチェーンの考え方がIT業界だけでなく、金融業界、国際政治、無政府主義者、哲学や道徳にも影響を与えるほどです。例えば、ブロックチェーンを応用して国が法定通貨として電子マネーを発行する中央銀行デジタル通貨(CBDC：Central Bank Digital Currency)という構想がスタートし、中国のデジタル人民元が動き出しました。出遅れた日本だけでなく諸外国も体制作りを急いでいます。ブロックチェーンが分散型（重要なことなので、後述します）であることから、法律や規制、国家の枠組みにとらわれないので、一気に世界中を相手にしてビジネス展開する動きもあります（その一つがNFTの事業です）。また、理論上、毎日追記されるブロックチェーンの記録は、何十年、何百年先でも確認でき、改ざんもできません。言い換えると、忘れられることはなく永遠に誰もが調べることができます。このことは、哲学や道徳にも影響を与え「忘れられる権利」といったことも議論されています。これほど、ブロックチェーンは幅広くさまざまな分野に影響を与えているのです。

ブロックチェーンを理解するには、帳簿の一種であると考えるのがいいでしょう。ブロックチェーンは、取引履歴を記録するもので、「ビットコインが、A口座からB口座へ1ビットコイン送金された」というような履歴をサトシ・ナカモトが初めて送金したところから、たった今、あなたがこれを読んでいる時間の取り引きまで全て記録されています。ブロックチェーンは、ビットコインのすべての取引履歴が記録されている巨大な帳簿なのです。これだけなら、銀行や大手企業の帳簿と何ら変わるところがないのですが、そこはデジタルの世界。紙の帳簿とはまったく違うことが可能になります。その違いについて、順番に見ていきましょう。

まず紙の帳簿の場合は、保管場所を慎重に選ばなくてはなりません。重要なものだからこそ、紛失したら大変ですし、誰かが勝手に書き換えるなど起きてはならないことです。鍵のかかるキャビネットや金庫に保管し、役員や責任者など限られた人だけが取り出すことができるようになっています。また、帳簿には正本と副本があって、副本は、あくまでも複写されたものという扱いで、閲覧だけといった使い方になります。正本が全てであり、そこに全ての情報があり、追記・修正の権限があります。このように、中央集権型になっているのです。

一方ブロックチェーンでは、単にデジタル化しただけでなく、ビットコインを使っている世界中のコンピュータに帳簿データがコピーされます。デジタルならではの特徴、「簡単にコピーできる」からこそ、またコピーはオリジナルとまったく同じになるので全てが正本であり、それが、何百、何千というコンピュータの中に存在しています。しかもインターネットで接続されているので、追加される取引データは一瞬で世界中の帳簿に記録されていきます。中央集権に対して分散した形になっているので、「分散型台帳」とも表現されます。

世界中のコンピュータの中に正本があるので、誰かが目の前のコンピュータに記録されているブロックチェーンのデータを書き換えたとしても、他の何百か所にあるデータとは違うことが瞬時に判別され、すぐに修正されます。この仕組みは、多数決で決まるので、もし本気で改ざんしようとすれば、世界中の何百か所にもあるデータの半分以上を一瞬で書き換える必要がありります。現実的には大変難しいことなので、取引データを改ざんするのは不可能と言ってい

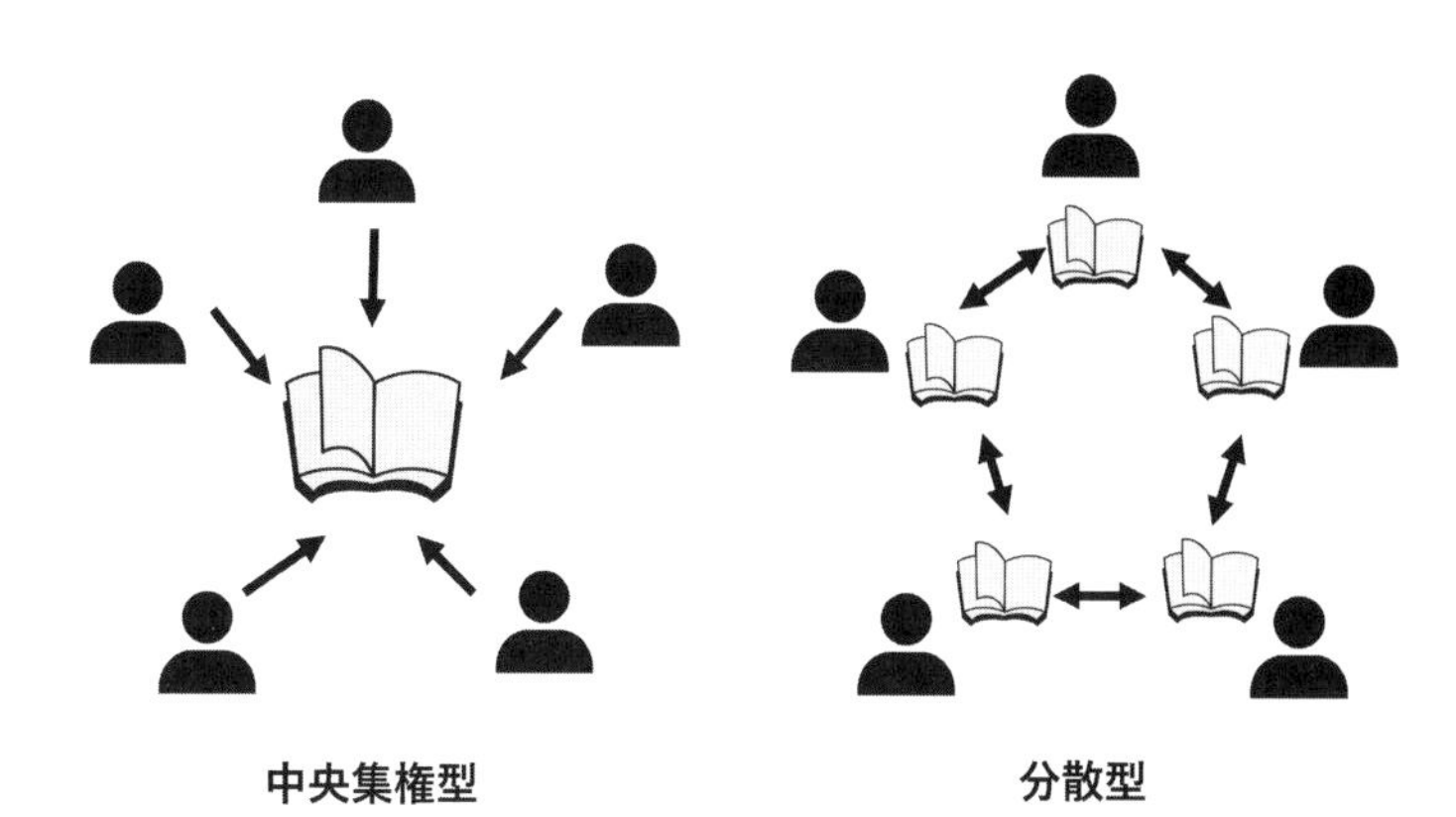

台帳の中央集権型と分散型の違い。

いでしょう（ビットコインのように多くのユーザがいる仮想通貨ではこの理屈が成り立つのですが、利用者が少ない仮想通貨だと半分を乗っ取ることが可能になり、実際そういうことが起きたケースがないわけではありません）。

もう一つ、世界中のコンピュータに取引データが記録されているので誰でも閲覧可能になっているのも、紙の帳簿との大きな違いでしょう。取引内容を確認したり、ビットコイン口座の残高を調べたりすることも可能です。ただし口座番号が分かったところで、それが誰の口座なのかは分かりません。個人情報である名前やメールアドレス等は口座には紐づいていないので、どこの誰の口座なのかは所有者が提示しないかぎり誰にも分からないようになっています。言い方を変えると、どこの誰かを登録することなく、ビットコイン口座を開くことが可能という意味になります。極端に言えば、一人でいくつもの口座を所有することも可能で、実際、送金ごとに使い捨ての口座を作っている人もいます。

一人でいくつも口座を持つことができる、名前もメールアドレスも登録しないでビットコイン口座を持つことができると聞くと、どうやって口座番号を管理しているのか不思議ですよね。

銀行の窓口に行って、本人確認もしない、名前も住所も電話番号も届け出ないで口座を開いてくれるところなどありません。どの口座が誰のものかをしっかりと管理しています。ただ、個人情報を含め管理する必要があるからこそ、セキュリティやデータのバックアップなど維持するためのコストが必要になるわけです。そのためマイナス金利と言われる時代になって、銀行も口座管理費や現金の引き出しなど手数料を取らざるをえなくなってきています。

ブロックチェーンを活用すると、口座の発行はコンピュータのプログラムが行います。氏名やメールアドレスなどの個人情報を扱わないので、管理する必要もありません。送金に関してはごくわずかな手数料が必要になりますが、金融機関と比べるとはるかに少額で、特に海外送金をすることを考えると、桁違いに安い手数料になります。

しかし、いいことばかりではありません。中央で管理している組織や企業が存在しないので、口座番号を忘れた、パスワードを忘れたといったような場合は、それに対応してくれる窓口はどこにもありません。仮想通貨取引所の業者で登録している場合は、それらの情報は取引所の業者が管理しているのでなんとかなりますが、自分自身で開いた口座に関しては自己責任になるので、パスワード等を紛失すると永遠に引き出せないことになります。海外では、数千ビットコインをパソコンに入れたまま廃棄してしまって、燃えないゴミの埋立地を掘り起こそうとしている人もいるぐらいです。

ブロックチェーンはこのように、デジタルの帳簿で世界中に同じ帳簿がコピーされている、改ざんしたとしても多数決で修正される、管理している組織や企業がないというのが、私たちのよく知る銀行の帳簿と大きく違うところになります。

少しだけ補足しておくと、この特徴はビットコインのブロックチェーンであって、ここから派生した他の仮想通貨のブロックチェーンは、管理団体があるものや企業が作ったもの、特定のユーザのみ帳簿データを持っているなど、運用方法はさまざまで、その運用状態がそれぞれの仮想通貨の特徴にもなっています。

ブロックチェーンは「信用」とは無関係

ブロックチェーンの仕組みは、数学的に証明できる仕組みです。取引履歴を全て記録し、世界中のコンピュータにコピーされ、他のデータと違うものがあれば、多数決で解決していくというアルゴリズム（手順）で動作しています。そして、その取引履歴は、インターネット上で誰でも確認できる状態になっているので、信用するとか、しないとかの問題ではありません。誰が見ても間違いないことを確認できる状態なのです。

三角形の面積は、底辺×高さ÷2で求められますが、これは数学的に証明されています。証明されているので、信じるという問題ではありません。同じようにブロックチェーンに記録されている取引履歴は、信じる・信じないではなく、証明されているデータになるのです。

同じ取引履歴でも、銀行の通帳に記載されているデータは残念ながら証明されているのではありません。万が一、銀行内部の誰かが不正行為を行ってデータを書き換えても利用者側は知ることができません。不正行為でなくともシステムの不具合でデータが書き換わった場合には、それをどうやって間違っていると示すことができるでしょうか。なかなか難しい問題で、結局は、その銀行を信じるか、信じないのかになってしまいます。

ビットコインなどのブロックチェーンの分散型台帳は、誰でも内容を確認できます。さらに、それが世界中のコンピュータにコピーされて存在しているので、複数の台帳を確認すれば、取引が間違っていないことが明らかになります。そのブロックチェーンを作り出しているプログラムも「オープンソース」といって、誰でもプログラムのソースコード（プログラムの中身）を確認できます。誤った処理をしていないか多くのエンジニアがチェックしているので、不具合もどんどん少なくなっています。

このように、ブロックチェーンの分散型台帳という考え方は、信じるかどうかではなく、情報をオープンにして誰もが確認できることで正しいことを証明することになります。だからこそ、単にコンピュータの世界の話だけではなく、政治や哲学といった分野にまで影響を与えているのです。

ブロックチェーンでNFTはどんな働きをしているのか？

では、ブロックチェーンの中でＮＦＴはどんな働きをしているのか考えてみましょう。

ＮＦＴは、「Non-Fungible Token（ノン・ファンジブル・トークン）」の略称で、非代替性トークンと言われています。これに対して、「Fungible Token（ファンジブル・トークン）」は、代替性トークンと言われています。まず、「代替性」ですが、同じ価値のものとして交換可能であるという意味で、具体的には、あなたの持っている５００円硬貨と私の持っている５００円硬貨は同じ価値であり交換できるので、「代替性」があると言えます。価値が同じであれば交換可能なので、５００円玉２枚と千円札１枚は交換できます。

しかし、あなたがオリンピック記念硬貨である５００円玉を持っていたとすると、私の５００円玉と交換できるでしょうか？　なんか損するような気がして、交換しないですよね。これが、「非代替性」となり「Non-Fungible」になります。

もっと分かりやすく野球のボールで説明しましょう。野球のボールは世の中に数えきれないほどあり、プロ野球の試合でもたくさんのボールが使われています。しかし、アメリカで大活躍の二刀流大谷翔平選手がホームランを打った瞬間に、そのホームランボールはとんでもない価値を持つようになります。どんなにボロボロのボールであっても掛け替えのないボールであり、新品の野球ボールと交換などできません。まさに、非代替性なのです。

ＮＦＴの「Ｔ」の部分、「トークン」とは何でしょうか？　トークンは、なかなか日本語で説明しにくい言葉で、使われる文脈によって意味が微妙に違ってきます。NFTや仮想通貨でのトークンは、法定通貨（国が定めた通貨）の代用硬貨というような意味で使われています。例えば、ニューヨークの地下鉄は均一料金なので、トークンと呼ばれる硬貨を購入し、それを使って地下鉄に乗ります。切符や回数券のようなもので、お金を直接払うのではなく、トークンに置き換えて使います。このように、お金の代用として使われる物をトークンと呼んでいます。広い意味では、電子マネーや地域振興券なども現金の代用になるので、トークンと表現されることもあります。同様に、ブロックチェーンで利用できる仮想通貨もトークンと呼ばれています。使われる場面で微妙に表現するものが違っているのですが、NFTのトークンは、仮想通貨の一種だと思っておいてください。

話を戻して、NFTは、「非代替性トークン」ということなので、仮想通貨の記念硬貨と考えられます。記念硬貨なので、他の硬貨と交換することはありません。そして、記念硬貨に書かれている金額で取り引きするのではなく、その記念硬貨を欲しいと思う人が、より多くの金額を出して購入するようになります。これまで仮想通貨というと、1ビットコインや1イーサリウムが、日本円でいくらなのかという他の通貨の交換レートが価値の指標でしたが、NFTは、同じ仮想通貨でも記念硬貨なので、その記念硬貨を欲しい人が高額で取引するようになってきたのです。ただ、オリンピック記念硬貨を1万円でほしいという人がいても、別の記念硬貨は人気がなくて500円でしかない場合も出てきます。NFTは、それぞれが違う価値を持っているのです。

もう一つ重要な点は、オリンピック記念硬貨が、一定枚数しか発行されないという希少性があるように、NFTは一つしかないということが重要なポイントになります。後に詳しく説明しますが、NFTの「希少性」というのが非常に重要で、画期的なアイデアなのです。

NFTで利用される代表的なブロックチェーンはイーサリアム

NFTはブロックチェーン上に作られるものなのですが、ブロックチェーンならどれでもいいのかというと、そうではありません。NFTを作るためには、ブロックチェーンが「スマートコントラクト」に対応している必要があります。「スマートコントラクト」のスマートとは、スマートフォンやスマートウォッチのように、「電子化された高度な機能を持つ」という意味で、コントラクトは契約のこと。つまり、「スマートコントラクト」は電子化された高機能な契約ということで、ブロックチェーン上に契約内容をプログラムとして組み込むことができます。仮想通貨で支払いが行われると、プログラムの内容に従って、契約内容が処理されるようになっています。

例えば、転売されたときに、価格の10％がアーティストに自動的に振り込まれるようにすることも可能です。これまでは、アーティストの収入は最初に販売したときの売り上げしかありませんでした。その後に人気が出て高値で取り引きされても、1円もアーティストには入ってこなかったのです。NFTの登場で、転売されたときにアーティストにも還元されることになれば、アーティストも長く愛される作品を作ろうとするでしょうし、好きな作品を購入する側にとってもアーティストを応援できるのは嬉しいことです。この仕組み自体が非常に大きな変化なのです。

残念ながら、ビットコインのブロックチェーンには、「スマートコントラクト」の機能がありません。NFTとして広く使われているのは仮想通貨イーサリアムのブロックチェーンで、さらに、そこから派生した仮想通貨のブロックチェーンが多く使われています。

NFTの人気が高まったことや、多くのデジタル作品がイーサリアムのブロックチェーンを利用していることから、イーサリアム自体の価値も上昇しています。その結果、ガス代と言われる手数料も高額になり、タイミングによっては数万円の手数料が必要な状況にもなりました。

ここまで手数料が割高になってしまうと、お手軽に出品するというわけにもいかず、かといって無名のアーティストが最初から100万、200万の高値で出品したところで売れるはずもありません。イーサリアムの開発に関わる人たちも、このままではイーサリアムが仮想通貨としての役目を果たせなくなるので、プログラムを大幅に変更し、ガス代を押さえる試みが2021年8月からスタートしています。この結果がどのようになるのか注目したいところです。

一方、この高いガス代に対抗すべく、NFTにより適したブロックチェーンを持つ仮想通貨も登場してきています。NFT関連仮想通貨銘柄と言われるものが次々発表されていて、「Enjin Coin（エンジンコイン）」、「Chiliz（チリーズ）」、「Polygon（ポリゴン）」、「Flow（フロウ）」などがあります。手数料を安く抑える、売買処理が速いなど、NFT市場での機能を強化したブロックチェーンになっていて、こうしたNFT用途の仮想通貨も人気が上がってきています。

NFTが指し示しているものは何か？

NFTが仮想通貨の記念硬貨のような特別なものであることは分かっていただけたかと思いますが、そのNFTが「何を」特別にしているのかというと、デジタルアートのオリジナルデータがどこにあるのかを示している点。この情報は、他のトークンにはないものなので、代替できない、つまり、NFTとなるのです。

では、そのNFTには、いったい何が記録されているのでしょうか？

ここでも、まずは、オリンピックの記念硬貨と比較して考えてみたいと思います。記念硬貨には、何の記念なのかが明記されています。例えば、「2020東京オリンピック」と書かれていれば、2021年に開催された東京オリンピックだということが分かります。そして、そのオリンピックのことを知りたければ、インターネットで検索し、公式サイトを見れば、いつ、どんな競技が開催されたのか、どの選手が金メダルを獲得したのかなどを知ることができます。

NFTも同じように、トークンの内部にはアート作品の情報がどこにあるのか（簡単に言えば、URL）が記載されています。その場所（Webサイト）を見に行けば、作品の名前や作者、説明などを見ることができ、さらに作品（オリジナルデータ）を見ることができます。記念硬貨にQRコードが印刷されていて、それを読み込めばその記念の詳細について書かれたサイトにアクセスできると考えると分かりやすいでしょう。

ブロックチェーンの技術としてNFTは作られているので、取引履歴がブロックチェーン上に記録されていきます。つまり、NFTが誰の手に渡ったのか、いくら支払われたのかといった取り引きが記録されて、しかも誰でもその記録を確認することができるのです。このことは、今、記念硬貨が誰の手にあるのか、いくらで手に入れたのかが明らかになっているということと同じで、だからこそ、デジタル作品であっても、オリジナルの売買が可能で、誰が所有しているのかが証明される仕組みになっているのです。

先にも書きましたが、デジタルデータは、何百回、何千回でもコピーすることが可能でオリジナルと見分けはつきません。しかしＮＦＴによって、オリジナルがどこにあるのか、そして今、誰が所有しているのかが証明可能になりました。

この大きなパラダイムシフトは、世の中に大きなインパクトを与え、大きな変革をもたらすということを意識しておいてください。このことを知っているか知らないかによって、今後の生活様式や価値観がまったく変わってくると言っても過言ではありません。それほどの大きな変化なのです。

限定数を決めて販売できるＮＦＴ

オリジナルのアート作品について証明できるＮＦＴですが、アートの世界でよくある限定数できます。

販売と同じように、同じデジタルアートでもシリアル番号を入れて販売するといったこともで

リアルのアート作品では、彫刻や絵画は、元々一点物で、同じ絵を描いたとしてもまったく同じものにはならず、個別の作品となります。版画にしても、初期のころは、絵の具の乗り具合や紙を押し付ける力加減が微妙に違うので、区別ができました。また、多色刷りの場合は、微妙にズレが起きることで区別できます。なかには、わざとズレを起こして、作品の違いを出すといったアーティストもいます。

しかし、技術が進歩してくると機械化され、さらに版の素材も劣化しにくい石や金属を使うことで、何十、何百と刷ったところで劣化しにくい状態になってきます。そうなると、人の目では最初に刷ったものと最後に刷ったものとは区別がつかなくなり、印刷物のように大量生産できるようになってきました。ポスターや絵画集・写真集などは、印刷技術の発展で、何万、何十万と印刷されてもまったく劣化しません。

こうなると、デジタルデータと同じで、最初は数が少ないから高値で取り引きされていても、日に日に数が増えていけば、だんだん価値が下がってしまいます。そこで考えられたのが、エディションナンバーによる部数の管理です。版画の作品には、絵の端に「23／100」といっ

た数字が書かれていて、１００枚のうちの23枚目ということを意味しています。これがエディションナンバーです。また、アート業界の合意として、限定数を刷り終えた後は、版に斜めの線の溝を入れたり研磨したりして、それ以上は刷れないように版を廃棄することになっています。そうやって、希少性を保っているのです。

ＮＦＴにおいても、同じように限定数販売を行うことは可能です。もし、限定数10で販売するのであれば、まず、コピーして10個のデジタルアートを用意します。その10個をそれぞれ個別のＮＦＴと組み合わせて、10個のＮＦＴを作ります。記念硬貨を10枚作るのと同じようなことをやるわけです。それぞれの作品の説明には、「１／10」のようなエディションナンバーを入れていけば、何番目の作品か区別することもできます。ブロックチェーンを確認すれば、その作品が10個限定であることは誰でも確認することが可能です。少し凝った出品をするのであれば、オリジナル1点、限定公式レプリカ（複製）10点といった販売にすれば、オリジナルは高値になるでしょう。もっとも、この場合でも、オリジナルとレプリカとのデジタルデータの区別はありません。重要なことは、作者であるアーティストが、「これがオリジナル」、「これが複製」と認めていること。そうやって、アーティストが認定したものであるということがＮＦＴによって証明されているのです。

リアルのアート作品ではできなかったことが可能になる

ＮＦＴが、デジタルアートのオリジナルであること、限定された作品であることを示すということが分かってきたかと思います。そこには、ブロックチェーンに記録された内容があり、しかも改ざんが非常に難しく、そこに書かれた内容が変更されることがないことが重要です。作者が認めた内容が記録されていて、誰もが確認できるからこそ、「信じる、信じない」ではなく、「証明」されているのです。

こうしたことは、リアルのアート作品ではなかなか難しかったことです。作者が生きている間は、作品の現物を確認して「これは、自分の作品だ」と判定できるでしょう。しかし、アーティストが存命中であっても、作品点数が多くアーティスト自身がご高齢になっておられると、本人であっても鑑定が難しくなります。作者が亡くなった後であれば、なおさら本物か偽物かを判断することは容易ではありません。無名時代の作品や、有名になってからでも、未発表の作品となると、本人の作品なのか弟子が模写して描いたのか、あるいは贋作なのかなど、経験豊富な鑑定士であっても判断を下すのは難しいようです。

ブロックチェーンに記録されるＮＦＴの場合、１００年先でも２００年先でも記録が残ります。誰の作品なのかという情報だけでなく、取り引きされた履歴もすべて残っています。いつ作られたのか誰が作ったのか、そしてどんな人の手を経て今に至ったということが誰にでも確認できるので、もはや「鑑定」する必要すらなくなりました。

こうした理論的な話だけでなく、ＮＦＴに最初に記録したのがアーティストであり、作者自身が「これがオリジナル」と認めたということで、作者と所有者との関係性をも内包していると考えられます。その作品が、いろいろな人の手に渡り、それらの時間の流れがブロックチェーンに記録され、今、自分の所有することになったというのは、アーティストのファンであればあるほど、なかなか感慨深いものがあるかと思います。

まとめ

・ＮＦＴは２０１７年から始まった新しい技術。最初は米粒ほどの画像を配布する実験的プロジェクトの「クリプトパンク」と、ネコのキャラクターを交配させて新しい柄のネコを生み出すゲームである「クリプトキティーズ」から始まった。

・デジタルアートは、簡単にコピーできるので価値が下がることが多かったが、NFTによってオリジナルのデジタル作品を証明できるようになった。

・NFTはブロックチェーンの技術によって実現している。

・ブロックチェーンは、デジタルの帳簿。世界中のコンピュータに分散して記録されているので、改ざんされにくい。

・NFTによって、アーティストが誰で、オリジナル作品がどこにあるのか、誰が所有しているのかがブロックチェーンに記録される。その記録は誰でも確認することができる。

・NFTによって、アート作品が転売されたときも、アーティストに売り上げの一部が還元される仕組みを作ることができる。

・NFTを使うと、アーティストが認めたオリジナルのアート作品であることが、100年先、200年先でも確認でき、誰の手を経て今に至るのかすべてブロックチェーンに記録されている。これまでのアート作品では知ることができなかった情報。

コラム 1

宮大工とNFTアートの共通点

宮大工は、神社仏閣の建築や補修などを行う大工のことですね。一般の家屋と違い、釘などの金具を使わずにパズルのように木組みで建てていきます。その技術は徒弟制度で継承され、単に技術だけでなく、神道や仏教、文化財の知識など、幅広い知見と高度な技能が要求されます。

ただ、時代の流れとともに、宮大工の仕事も減ってきているので、今は企業として研修から始まり、社員として雇用するようになっているそうです。宮大工の数は今や100人程度になっているとも言われ、人材確保が大きな課題です。

神社やお寺などは、何十年、何百年先も使われる建物なので、そのことを意識して宮大工は設計します。例えば、木材が重さで歪んでくるので、それを見越して長さや高さを決めるそうです。宮大工が見ている完成した建物は、100年先の状態であって、出来上がったばかりの建物は、未完成というなんとも時間のスケールの長い話。

さて、NFTアートですが、ブロックチェーンに記録されるということを考えると、何十年先、何百年先までも、誰の作品なのか、誰の手を経てきたのかを確認することができます。このことは、宮大工のように何十年後、何百年後の作品がどうあるのか、どんな評価を受けるのか、その間、どれだけの人たちの目に触れるのかを考えているのと同じではないでしょうか。

神社仏閣に関わった絵師の襖絵も、そのときのことだけではなく、今後、多くの人たちの目に触れることを意識していたに違いありません。同じように、今後、アーティストは、NFTを利用することで何十年先、何百年先にどのような評価を受けるのか、あるいは、時代をどこまで先読みできるのかが問われてくることになりそうです。こういうことを考えると、1970年の万博で建てられた岡本太郎氏の太陽の塔は、いまだに人々を引き付ける作品であり、今後も多くの人たちに影響を与えるでしょう。そんなアート作品がNFTアートとして残っていくのは、すごく楽しみなことです。

第2章 何が売られていて、誰が買っているのか

セクシー女優がNFTで売り上げ1億6600万円!

2021年5月6日22時、セクシー女優の波多野結衣氏がデジタル写真を販売開始しました。その7分後、販売された全3000枚が完売。売上総額は約1億6600万円となりました。このニュースの表面だけを見ると、セクシー女優だからキワドイ写真を販売したに違いないとか、やはりエロは強いなぁとか思ってしまうでしょう。

ただ、よく考えてみてください。いくら何でも、1枚平均5万5千円のデジタル写真を購入する人が3000人も集まる、しかも、たった7分で完売するなんて、にわかには信じられません。

「話題を作るためにサクラで購入しているのでは?」とか、「怪しい黒幕が絡んでいるのでは?」など、さまざまな憶測が飛び交いました。

この販売方法を調べてみると、これが実にうまく考えられていて、しかも、波多野結衣氏のファン層とNFTがよくマッチしていることが分かってきました。

まず、販売方法ですが、販売されたデジタル写真は六つのランクに分けられていて、購入したNFTを開封するまではどれが入っているのか分からなくなっています。袋に入った野球選手やサッカー選手のカードと同じような販売方法です。さらに一番レアな10枚は、サイン入りになっているそうです。六つのランクのうち、売れ残ったNFTは焼却(NFTを消去することを「焼却」とか「burn(燃やす)」と言います)するので、二度と手に入らなくなります。ファンとしては、後で買おうとしてもできないので、何枚も購入したくなる仕掛けです。通常、NFTは転売することが可能ですが、今回のNFTアートは4日以内に開封しないと無価値になってしまうので、転売もできません。この辺も実に巧妙です。

波多野結衣氏のファン層を見てみると、日本だけでなく海外(アジア圏)でも人気が高く、台湾では交通機関で使える乗車カードにも起用され、こちらも数時間で完売しています。[※8] 余談ですが、台湾で人気があるのは、台湾の女優リン・チーリンと似ていると話題になったところからのようで、香港映画にも出演しているほど、アジア圏で人気があります。さらに、「Animation Video Cash（アニメーション・ビデオ・キャッシュ）」という中国市場をターゲットにした仮想通貨のイメージキャラクタも務めていました（このプロジェクトは、現在、休眠状態）。これは、仮想通貨に興味のある人も波多野結衣氏を知っているということで、ＮＦＴとの相性はいいでしょう。このような状況だからこそ、ＮＦＴでのデジタル写真の販売に関しても、日本語、英語、中国語で告知をしていて、日本だけでなく海外を意識してしっかりとファンを取り込んでいるのが分かります。その結果、日本よりも中国語圏のファンで、しかも仮想通貨に馴染みのあるファンが一斉に購入したものと見られています。※9

バックグラウンドも含めて調べてみると、セクシー女優だから売れたのではなく、しっかりとマーケティングされていることが分かるのですね。ＮＦＴで高額販売されたというニュースだけを見ていても、なかなか気がつきません。そこに至るまでの経緯をしっかりとリサーチすることは、とても重要です。

バンクシーの絵を燃やしてNFTに？　デジタルだから高額になる？

社会風刺を描いて世界で話題になるバンクシーの作品ですが、その中の『Morons（愚か者たちの意）』というタイトルの作品をスキャンしてデジタル化し、NFT作品として出品されました。それを出品したBurnt Banksyと名乗る人物は、デジタル化した後、リアルの作品に火を点けて焼却。この様子は、YouTubeでも動画配信されています。※10

バンクシーの『Morons』という作品は、1987年に安田火災海上（現・損害保険ジャパン）が、ゴッホの『ひまわり』を約50億円で落札したことを皮肉ったものです。オークションの風景が描かれていて、そのオークションに興じている人たちの目の前にある額縁のなかには、「I Can't Believe You Morons Actually Buy This Shit.（こんな糞みたいな作品を高額で落札するお前らみたいな愚か者が信じられない。）」という言葉が書かれています。2006年に100枚が販売され、今回焼却された作品もバンクシー作品認証機関が認定した1枚です。

アートの価値はどこにあるのか、デジタル化されたNFT作品はアートなのか、リアルの作品が失われてデジタル化されたデータは本物と言えるのか、そもそもリアルのアート作品を焼却していいのか、単なる売名行為ではないのかなど、さまざまな意見が飛び交いました。

オークションが終わってみると、元の作品の４００万円を大きく上回る４４００万円で落札されました。つまり、デジタル化してＮＦＴ化することで、アートの価値は10倍以上に跳ね上がったことになります。物理的な作品が失われてもデジタル作品として十分に価値を持ち、また、ＮＦＴだからこそそのオリジナルであることで、より価値が上がる事実を証明したことになります。もちろん、だからといってデジタル化したら作品を焼却していいという意味ではありませんが。

この件があってから、似たようなことをする人々が出てきて、いろいろと物議を醸しています。同じバンクシー作品のデジタル化でも、法的に問題があるのではないかと話題になった事例は、ＮＦＴマーケットプレイスの「Valuart（バリューアート）」がバンクシーの『SPIKE』を3Dスキャンした作品を出品した件。『SPIKE』という作品は、イスラエルがテロリストの侵入を防ぐために作った分離壁の一部をバンクシーが持ち帰り、そこに『SPIKE』と文字を書き込んだ作品です。それをスキャンしてＮＦＴ化しました。ところが、このデジタル化は、バンクシーの許可を得ずに行われ販売されていたことが発覚しました。[※11] 法律上の解釈としても、バンクシーの作品を所有していたところで、作品をデジタル化して販売する権利は所有者にはなく、違法行為ではないかと言われています。デジタルデータが売買できる、しかも、NFTによってオリジナルという希少価値から高額取引されることによって、法的にも新たな問題が出てきています。

日本においても、「クリプトアートジャパン」が、絵画100点をデジタルスキャンし、その後、作品すべて爆破焼却する『燃えるアート展（2021年5月15日、栃木県岩船山にて爆破）』を開催しました。[※12] デジタル化された作品はNFT化されて、「オープンシー」で6月13日〜7月13日に販売。念のため説明しておくと、『燃えるアート展』は、この展示会に賛同するアーティストから出品を募り、アーティストから許諾を得た上で行っているので法的には問題ありません。クリプトアートジャパンによると、「私たちクリプトアートジャパンは実物アートを爆破焼却するという大イベントを通し、デジタルアートという新しいアートの在り方を、思考する機会を提案致します。[※13]」と、新たなデジタルアートの意味を問いかけています。

このような新しい試みは賛否両方出てくるとは思いますが、新たなアートの在り方、アートの価値、デジタル化が進む世の中におけるアートの位置づけとして、興味のある人たちからは、高値で取り引きされていくでしょう。

せきぐちあいみ氏のVR作品が1300万円

NFTアートとして販売されているのは、2次元の画像だけではありません。「VR（バーチャル・リアリティ）」作品も売買されています。

VRとは、コンピュータの画像で作り出す仮想現実のことで、ヘッド・マウント・ディスプレイと呼ばれるゴーグルのような装置を被ると、目の前のディスプレイにコンピュータがCGで作り出した仮想現実が映し出されます。映画やテレビを見ているのとは違って、右を向けば仮想現実の右の風景が、左を向けば左の風景が映し出されます。前に進んだり、後ろに戻ったりすることも可能で、自由に仮想現実内を動き回れます。コンピュータゲームの中の世界に入り込んだような感覚で、アーティストが作り出した世界に浸ることができるのです。

そんなVR作品を作る日本人せきぐちあいみ氏の作品『Alternate dimension　幻想絢爛』がNFT化され、1300万円で落札されました。[※14] せきぐちあいみ氏は、非常に面白い経歴の持ち主で、アイドルグループから始まり、ヒップホップ・ダンサー、歌手、そして、VRアーティストになります。何が合うのか分からず、いろいろな経験を積んだ後、VRアーティストとして成功したのです。日本ではあまり知られていませんが、アメリカのシリコンバレー、タイのバンコク、マレーシアのクアラルンプール、ロシアのカザンなど、海外のさまざまなイベントに参加し、会場に集まった多くの人の前で、VR作品を作り上げるというライブ・パフォーマンスを行っています。

VR作品は、他のデジタルアートと同じように簡単にコピーできるため、ライブ・パフォーマンスとして稼ぐことはできても、出来上がった作品自体をどうすればいいか悩んでいたそうです。そこにNFTというオリジナルであることを証明できる技術が登場したことで、1300万円という高値で販売できるようになったのです。

もちろん、NFT化したから売れたという単純なものではなく、彼女のこれまでの世界中で開催してきたライブ・パフォーマンスがあってこそで、多くのファンを惹き付けるアーティストだからVR作品が高値で売買されるのです。

ツイッターの最初のツイートが、3億円に

今や世界中の人が利用している140文字のSNSツイッター。このツイッターのサービス

が始まったときの最初のツイートが、NFT化され3億円で売れました。ツイッター共同創業者のジャック・ドーシー氏が、『just setting up my twttr』と打ち込んだだけの文字列で、今でも誰もが見ることができます。[※15] たった五つの単語の「ツイッターの設定完了なう」という意味の文章が3億円になったのです。このニュースが流れたときも、多くの人は、そんなものがなぜ3億円で売れるのか意味が理解できませんでした。

NFTはオリジナルであることを証明するのですが、ではNFTを買うということはいったい何を売買しているのか、整理しておく必要があります。もちろん、オリジナルデータの所有権には違いないのですが、もう少し掘り下げて考えてみましょう。今回出品されたツイートは、誰もが画面上で見ることができるツイートの文字とは違って、NFTで指し示されたデータが、ツイッター共同創業者のジャック・ドーシー自身、世界で唯一、オリジナルだと認定したということ。ここに大きな価値があります。

例えば、将来、デジタル歴史博物館ができて、「短文でやりとりするSNSは、ここから始まった」というタイトルで展示されるのが、このツイートになる可能性があります。インターネットの歴史上の貴重な資料であり、アイコンであり、記念碑になるデータ。それを所有しているということは、極端な言い方をすれば、歴史上の貴重な品を持っているようなものです。「インターネットの歴史におけるロゼッタ・ストーンのようなもの」と言っている人もいるぐらいです。

ただ、それは、ある種のマニア的な価値観であるのは間違いないので、もう少し違った側面からこの金額を考えてみましょう。

このツイートは、チャリティー・オークションとして出品されていて、単純に価値だけではないところがあります。また、オークションで入札した人たちも、IT業界の経営者、ベンチャー企業の経営者という顔ぶれで、NFTという新しい分野を盛り上げようというご祝儀相場のようなところがあります。そもそも、NFTの売買が仮想通貨で行われることを考えると、億単位の仮想通貨を持っている人に限られてくるのです。仮想通貨やNFT、新しいIT技術などに興味があり、それだけの仮想通貨を支払える人たちの集まりで盛り上がったと考えられます。

「オープンシー」で売られているNFTアイテムには何があるのか?

これまでデジタルアートのNFTアイテムについて見てきましたが、それ以外にもさまざまなアイテムに応用されています。世界的に名前の知られている「オープンシー」では、八つのカテゴリーに分類して、NFTアイテムが売買されています。まず、どのようなアイテムがあるのか見ておきましょう。

それぞれのカテゴリーは、次のようなアイテムを扱っています。詳しくは後述しますが、ここでは、各カテゴリーの概要を説明します。

Art 絵や写真、動画のアート作品。NFTと言えば、アート作品と言われるぐらい認知度が高いので、出品点数が最も多いカテゴリー。

Music 音楽のNFTアイテム。音楽の場合は、視聴できれば満足するユーザが多いので、ミュージシャンとファンがつながる実験的な意味合いが大きい。

Domain Names イーサリアムで利用できるドメイン名で、振込先のアドレスとして利用できる。インターネットで使われる一般的なドメインとは違うので注意。

Virtual Worlds 仮想世界でのアイテム。仮想世界はゲームの中の世界のようにコンピュータが作り出した世界のこと。「Metaverse（メタバース）」とも呼ばれている。その仮想世界内のアイテムや仮想世界の土地など、あらゆるデジタルアイテムがNFTとして販売されている。

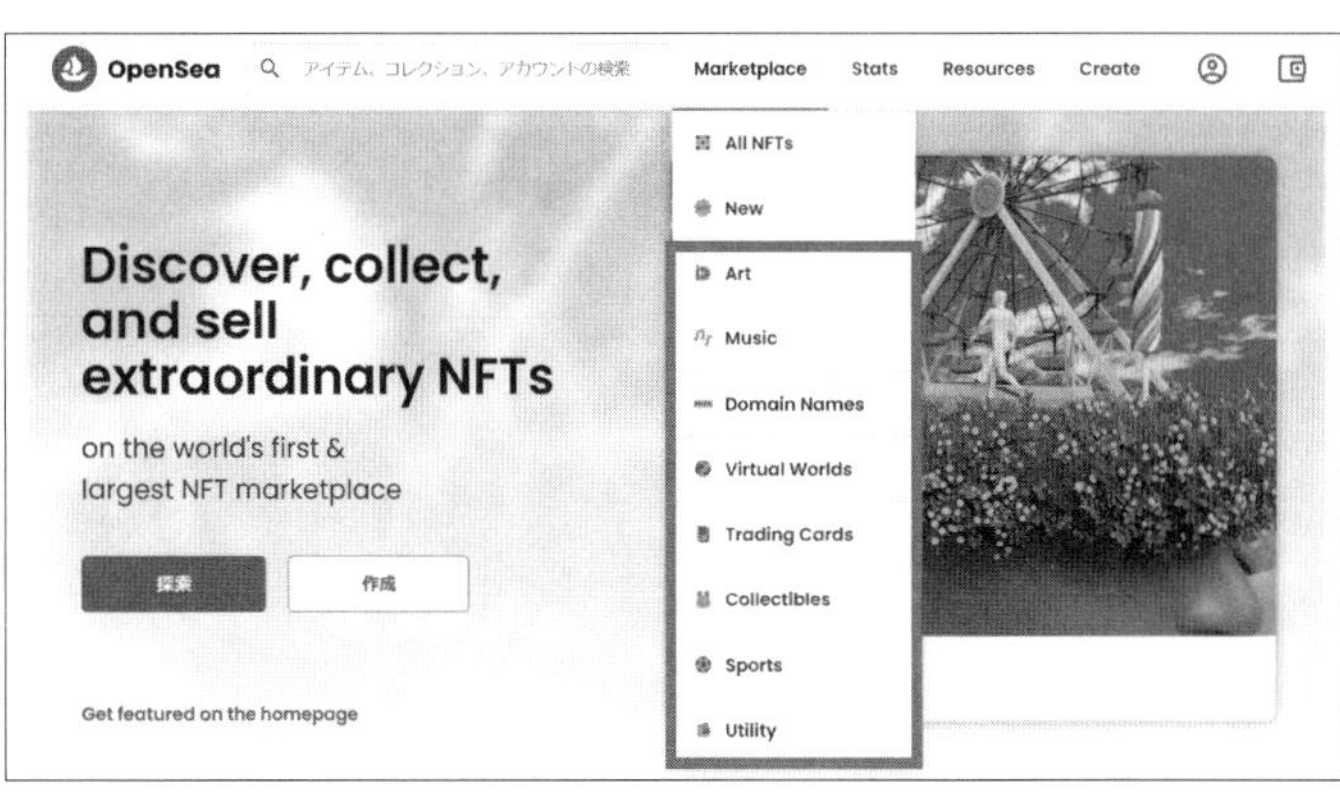

NFTマーケットプレイス「オープンシー」のカテゴリー。

Trading Cards　デジタル・トレーディングカードで、スポーツ選手のプレー動画や、カードゲームの対戦カードなど。

Collectibles　コレクションアイテム、デジタル収集品。例えば、最古のNFTプロジェクトと言われる「クリプトパンク」や、NFTを有名にした「クリプトキティズ」のアイテム。ある種のデジタル骨董品。

Sports　スポーツ選手の写真やチームのアイテムなど。スポーツに関連するデジタルアイテム。

Utility　ブロックチェーンを利用したアプリケーションやツールなど。

「オープンシー」の実際の画面で確認すれば分かりますが、カテゴリーは厳密に分類されているわけではなく、運営側でチェックしているわけでもありません。あくまでも出品者が選択したカテゴリーに分類されているだけです。そのため、かなり曖昧な分類になっており、なかには、カテゴリーとアイテムが一致しないものもあります。

以降、八つのカテゴリーをベースに、話題になっているものを解説していきます。

ゲームで手に入れたアイテムを売買

オンラインゲームが盛んになって、その中で手に入れたお宝アイテムや、レベルアップしないと手に入らないアイテムは、ゲーム運営会社から販売されています。最初は無料で遊べても、あるレベルから上になってくると有料のアイテムを購入しないとその先に行けないようになっているのです。ゲーム運営会社からすれば、そこでの有料アイテムの売り上げがすべて。しかし、なかにはプレイヤー同士でひそかにアイテムを売り買いする人たちが出てきました。アイテムだけでなく、レベルアップしたキャラクターのアカウントを販売するといったことも起きてきたのです。

そうなってくると、ゲーム運営会社の売り上げが下がってくるだけでなく、他のプレイヤーと戦うのをプログラムで自動化してキャラクターを量産したり、ハッキングして他人のアカウントを盗んで転売したりと違法行為も起きてきます。ゲームの世界ではこのような騙す行為を「チート」と言い、チート行為によって不正入手したかどうかを区別するのが非常に難しかったのです。

さらにゲーム会社を悩ませるのは、まれに、ゲームの中だけでなく現実世界でもアカウントを盗むために暴力沙汰になるような事件が起きることがあり、直接関係のないゲームの評価やゲーム会社の評判が落ちてしまいます。これを解決する一つの手段として、ブロックチェーンを応用し、ゲーム内のアイテムが管理されるようになったのです。

この新しいゲームは、ブロックチェーン・ゲームと呼ばれ、アイテムをNFT化することでゲームのプレイヤー同士でアイテムをトレードしたり、売買したりすることが可能になりました。プレイヤーは、相手のアイテムがどういう経緯で手に入れられたのか、本物なのかといった情報を確認できるので、安心して売買できます。一方、ゲーム運営会社は、ゲームで稼げるという評判が上がると、より多くの人が参加しアイテムを買い求めてくるので経営が安定するのです。

アイテムを売買するというと、イメージしにくいかもしれませんが、カードゲームが分かりやすい例ではないでしょうか。デジタル・カードに、勇者や魔法使い、あるいは、怪獣などのキャラクターが書かれており、それぞれの特技が使えます。そのカードを、お互いにゲームの場に出して戦います。強いカードを持っている方が有利なので、お金を払ってでも手に入れたいというプレイヤーも出てきて売買が成立します。人気のあるアイテムや、めったに手に入らないアイテムはオークションで高値になり、そんな取引の利益で家を建てた（ゲームの中の家ではありません。現実世界での家）という強者まで出てきました。

ゲームで稼ぐというと、「eスポーツ」のように強いゲーマーになって試合で勝ち、賞金を稼ぐというスタイルでしたが、これからはゲームのアイテムを高値で売って稼ぐというゲーマーも多くなってくるでしょう。すでに、そういうゲームでの稼ぎ方を教える人たちまで出てきています。

せっかくですので、いくつかのブロックチェーン・ゲームを紹介しておきます。

・Crypto Spells（クリプト・スペルズ）

https://cryptospells.jp/

日本のCrypto Games株式会社が2019年6月から正式リリースしたトレーディングカードゲーム。ゲーム内で、NFTのカードが手に入り、それを売買することができます。なかには、レアカードがあるので、数十万円といった高額で販売されているものもあります。

ゲーム大会の優勝賞品として提供されるオリジナルのカードを発行する権利を手に入れると、1枚しかないオリジナルカードを作ることもできます。

・Axie Infinity（アクシー・インフィニティー）
https://axieinfinity.com/

ベトナムのSky Mavis社が運営している対戦型ゲームです。アクシーというモンスターを使って対戦し、相手に勝つとモンスターが成長し、仮想通貨が手に入ります。この仮想通貨や、育成して強くなったモンスターを販売することが可能です。市場調査している「Blockchain Game Info」によると、2021年9月には、NFTゲームの中でイーサリアム取引額トップになっている人気ゲームです。

・My Crypto Heroes（マイ・クリプト・ヒーローズ）
https://www.mycryptoheroes.net/

日本のdouble jump.tokyo株式会社が2018年11月から開始した複数人での対戦ゲームです。歴史上の英雄や武器を集め、九つの国のどこかに所属して戦います。マーケットもあるので、そこで運営側から購入するだけでなく、他のプレイヤーと売買できますが、「オープンシー」などNFTマーケットプレイスで販売すると、仮想通貨の収入になります。また、英雄のデザインを変更することもできるので、オリジナルのヒーローを作り出し、高値で販売するようなことも行われています。

・Sorare（ソラレ）

https://sorare.com/

フランスから始まったサッカーゲームで、現実のサッカーチームに所属する選手のカードを使って、仮想チームを作って競います。面白いのは、現実のサッカーの試合結果がゲームにも連動して変わること。それによって、仮想チームのポイントも変わっていきます。公式サイトから選手のカードを購入する以外に、他のプレイヤーから直接購入する、あるいは、ＮＦＴマーケットプレイスで購入するという方法があります。ゲーム内に、「オファーを行う」というボタンが用意されていて、欲しい選手のカードを持っているプレイヤーに直接交渉することができるのです。このような仕組みは、アイテムの入手経路等が明らかになるＮＦＴだからこそ可能であって、不正コピーされたものやアカウント乗っ取りなどで盗まれたものが不正売買されることはありません。

動画のトレーディングカードをNFTで販売し、スポーツチームが増収！

コロナ禍になり、世界中でスポーツ観戦が無観客で行われたり人数の制限をしたりしています。場合によっては、試合そのものができなくなることもありました。プロスポーツは観客が多く入ってこそ収益につながるので、観客が少なくなれば入場料の売り上げが落ちていきます。さらに、スポーツ選手のグッズの売れ行きにも影響し、スポンサー獲得も厳しくなってしまいます。

そこで考え出されたのが、選手のファインプレーを数十秒の短い動画にしてNFT化して販売するアイデア。「NBA（ナショナル・バスケットボール・アソシエーション）」の『NBA Top Shot』※16が有名です。トレーディングカードのように、限定販売や、なかにはレアアイテムとして数点しかないものを用意。Webサイトで販売しているので、誰でも視聴できるのですが、ファン心理である「所有欲」を刺激し、「デジタル・コレクティブル」という言い方もされています。もちろん、これらのコレクションは転売することが可能で、人気のある選手のデータは1000万円になることもありました。

『NBA Top Shot』は、2020年10月に始まったのですが、たった3か月で約39億円もの売り上げになっています。最終的に、売り上げ760億円を超えました。

このような動きはサッカーにも広がっていて、選手のプレー動画のNFTデータを売買するだけでなく、ファントークンというチームを応援するためのデジタル通貨も導入されています。ファントークンを購入すると、保有量によって特典が受けられたり、チーム運営に関わったりすることができるので、熱心なファンにとってはたまりません。ただし、ファントークンはNFTではなく、従来の仮想通貨と同じようなもの。今後、NFTでデジタルアイテムを販売し、ファントークンでファンに運営にも関わってもらうという動きが、プロのスポーツ業界では大きなトレンドになっていきそうです。

日本ではあまり話題になっていませんが、国際オリンピック委員会（IOC）もNFTアイテムを販売しています。公式ライセンスを取得した『NFTオリンピック・ピンバッジ』です。[※17]

元々オリンピック・ピンバッジは、選手や審判員、スタッフを識別するために配布されたのが始まりで、役割に応じて種類が違っています。それが、だんだんと集めたり、交換したりするのが伝統となっていったそうです。その伝統をさらにデジタルの世界に広めるということで、今回販売される『NFTオリンピック・ピンバッジ』は、『nWayPlay』というゲームの中で、手に入るようになっていて、ゲームのアバターに装着するといったことができます。オリンピックの伝統のピンバッジをデジタルで所有できるようになるという、新たな試みです。

音楽、電子書籍、ドメインまでもがNFTとして販売されている

NFTとして販売されているものはなにも美術作品だけではありません。デジタルであれば何でも扱えるので、音楽や電子書籍、そしてドメインもNFT化されて販売されています。ただ、美術品とは異なり、音楽にしても電子書籍にしても多くの人に聞いてもらい、読んでもらって売り上げにつなげるビジネスなので、美術作品のNFTの希少性とは違ってきます。特に定額制（サブスクリプション）サービスが広まっているので、希少性を保証するNFT、つまり所有者が一人だけという音楽や電子書籍では、違った意味合い、価値を提供する必要が出てきているのです。

新たな試みはいろいろ行われていて、アメリカのロックバンド「Kings of Leon（キングス・オブ・レオン）」は、アルバム『When you see yourself』のNFT版をNFTマーケットプレイスに出品しました。所有できる満足感だけでなく、このNFT版にはメンバーが撮影した写真、限

定版のレコード、さらには生涯ずっと彼らのライブを最前列で楽しめる『ゴールデン・チケット』といった特典をつけたのです。その結果、約2億1700万円で落札されました。[※18]

音楽業界にとっては、これまで映像コンテンツはプロモーションビデオなどの素材として使われていました。しかし、NFTと組み合わせることにより、映像コンテンツつきの限定1000本のみ販売といったことが可能になります。また、VIPのみ参加できるコンサートチケットをつけてNFT音楽を販売するという試みも行われています。

まだまだ始まったばかりですが、株式会社サクラゲートの音楽専門のNFTマーケットプレイス「The NFT Records」、Studio ENTRE株式会社のNFTを通じた音楽×アートワークの販売サービス「.mura（ドットミューラ）」など、これから新たなアイデアで音楽NFTは活用されていくでしょう。

電子書籍では、箕輪厚介編集長のサウナ専門雑誌『サウナランド』をNFTとして1点限定で発行し、電子書籍を出版・販売できる商用利用権をつけて出品しました。[※19] この電子書籍は280万円で落札されました。音楽と同じように、電子書籍も何らかの特典をつけないと、NFTとして高額販売するのは難しいでしょう。例えば、書籍になる前の企画原稿をNFT化する、ゲラ（印刷前の原稿）をNFT化する、あるいは、著者と対談する権利をつけるといったさまざまなアイデアがこれから登場すると思われます。

面白い実証実験をしているのは、株式会社Gaudiyとコミックスマート株式会社で、電子書籍をＮＦＴ化し、そのＮＦＴを売買できるようにします。[※20] これによって、貸したり借りたりすることが難しかったこれまでの電子書籍を、家族や友人に貸す、あるいは、中古電子書籍として販売できるようなことを目指しています。紙媒体の書籍なら、マンガや小説など、家族や友人に気軽に貸すということができたのですが、従来の電子書籍はデジタルであるがゆえにコピーもできず、貸すことも売ることもできなくなっています。特に子供たちが、友達とマンガを貸し借りできないので、それを通してコミュニケーションするという交流までもなくなってしまっています。今回の実証実験がうまくいけば、図書館の在り方も大きく変化するでしょうし、地方の過疎地でも、インターネットを通してさまざまな書籍を借りることができれば、教育格差、情報格差も改善されていくことが期待できます。

ＮＦＴマーケットプレイスのなかには、ドメインネームのＮＦＴを扱っているところもあります。ドメインネームというと、ホームページのＵＲＬにある「google.com」のような文字列のことですが、ＮＦＴマーケットプレイスで販売されているドメインは、少し違います。「.eth」というドメインなのですが、イーサリアムのブロックチェーンで利用できるドメインになっています。どのように使うのかというと、イーサリアムの送金アドレス代わりに使うことができます。イーサリアムを送金してもらうにはアドレスを教えないといけないのですが、42文字の英数字の並びを伝えても、コピーミスなどが起きる可能性があります。もし間違って送金した場合は、どこの誰に送られたのか分からないので返金される見込みはありません。そこで、間違いが起きにくいように『xxx.eth』というドメインを使うと、42桁のアドレスを使わなくても送金できるようになります。これがイーサリアムのブロックチェーンで使えるドメインになります。インターネットのドメインと同じように早い者勝ちなので、分かりやすい単語や数文字の短い文字列は、もうほとんど取得されていて、その取得したドメインがＮＦＴマーケットプレイスに出品されているのです。今後、ＮＦＴが広まってくると、イーサリアムでのやりとりも増えていくので「.eth」を利用する人が増えていくことを見込んでの先行投資ですね。

仮想空間の不動産売買に使われるＮＦＴ

ＮＦＴマーケットプレイスでは、仮想空間の不動産売買が行われていることをご存じでしょうか。こんな話を聞くと、バブル期に広まった原野商法、いや、仮想空間なので「原野」さえ存在しない詐欺のような話に聞こえてしまいます。

実際に売買されているのは、オンラインゲームの中の仮想空間の土地です。ゲームと言っても、『ドラゴンクエスト』のような明確なミッションがあるものではなく、どちらかというと、『あつまれ　どうぶつの森』のように、プレイヤーがゲームの中で、ワイワイ、ガヤガヤとイベントを行ったり、何かを作ったりするコミュニケーションが主体のゲームになっています。

仮想空間の土地ではあるのですが、リアルの土地のようにギャラリーを建て、そこにNFTアートのコレクションを展示して販売するといったこともできるようになっています。もちろん、土地を貸す、土地を転売することも可能。面白いのは、仮想空間であっても、リアルの土地のように人気の出そうな場所の地価は高くなり、誰もいないような場所だと安いといった現象が起きていることです。

仮想空間と言えば、2007年頃、仮想空間『Second Life（セカンドライフ）』が話題になったのを覚えているでしょうか。アメリカのSF作家Neal Stephenso（ニール・スティーヴンスン）が1992年に発表した小説『Snow Crash（スノウ・クラッシュ）』に登場する仮想空間「Metaverse（メタバース）」にヒントを得て開発されたのが、『セカンドライフ』です。また、この小説が大ヒットしたこともあり、仮想空間のことを「メタバース」と表現するようになりました。

当時、私自身も『セカンドライフ』でのビジネスの可能性を感じ、寝る間も惜しんでリサーチしていたのを思い出します。デジタルハリウッド大学院の三淵啓自教授と知り合うことになり、2008年に東京ビッグサイトで開催された『Virtual World Conference & Expo 2008』では、一緒に講演も行いました。それほどまでに面白い世界でした。

『セカンドライフ』では、「リンデンドル」という仮想空間内の通貨が使えるようになっていて、アバターが使う衣服や装飾品、土地、家、家具など、さまざまなものが売買できました。土地は『セカンドライフ』を運営するリンデンラボ社が用意するのですが、その土地を購入し、分割して貸し出すこともできました。やはり現実の土地と同じように、人気のある場所の地価は高く、誰も知らないような場所は安くなります。また、そこの「住人」によっても価格の差が出るといった、まさに現実世界と同じような現象が起きていて、仮想でありながらも、なんらかの社会が出来上がっていたのです。

ただ、当時はインターネット回線も遅くパソコンのスペックも低かったので、パソコンに詳しくて性能のいいパソコンを購入できる人（性能のいいパソコンが必要な人）に限られていました。今は、パソコンだけでなくスマホでもオンラインゲームを楽しむことができるようになり、仮想空間を利用できる人たちは数多くいます。そこに、ブロックチェーンを応用してゲームの土地やアイテムの所有者が明確に記録されるブロックチェーン・ゲームが出てきたこともあり、NFTマーケットプレイスでは、土地の売買が行われるようになりました。

仮想空間の土地売買というと怪しげに思えますが、具体的には、仮想空間のプログラムが動作しているコンピュータのハードディスクと考えれば分かりやすいと思います。仮想空間を利用するには、そこにあるデータをすべて保存しておかないといけないので、メモリとかハードディスクにデータが書き込まれます。土地を買う＝仮想空間を作り出すコンピュータのハードディスクの「使用権」を購入しているのと同じです。そこに、建物のデータや絵画のデータを書き込めば、仮想空間上では土地の上に展示会場ができてデジタル絵画が展示されるのです。いわばレンタルサーバを借りて、そこにホームページをアップするのと同じことですね。

コラム2

人工知能はアーティストになれるのか？

人工知能の進化は、目覚ましいものがあります。ディープラーニング（深層学習）と呼ばれる手法が出てきてからは、人間が教えなくてもコンピュータが学習していくので、凄まじい勢いで人工知能の応用範囲が広がっています。

例えば、14世紀から20世紀に描かれた肖像画を学習し、人工知能がオリジナルの肖像画を描きました。そして、この絵画がクリスティーズに出品されて、約4900万円で落札されたのです。[※21]

ゴッホやモネなどの絵画を学習した人工知能のサービスでは、写真をアップすれば、それぞれの画家風のタッチに仕上げます。[※22] 凝ったものでは、3Dプリンターで油絵具の凹凸まで再現し、レンブラントが描いたかのような作品を作る人工知能もあります。人型人工知能ロボットのソフィアが描いたデジタルアートはNFTマーケットプレイスに出品され、約7500万円で落札されています。[※23]

さて、人工知能が創作した画像には、はたして著作権が適応されるのでしょうか？ これはなかなか厄介な問題で、法曹界でも議論されています。そもそも著作権とは、「人が作り出した表現物」に対する権利なので、プログラムによって出力された画像や音楽は適応されないように思えます。しかし、一方で、人工知能を道具として利用した場合は、人間がなんらかの指示をしたり意図して操作をしたりするわけですし、また、表現するための元になる写真があるなら、CGで描いた作品と変わらないということになります。

問題は、人工知能に多くのアート作品を学習させて、自動的に似たような作品を作り上げた場合です。このとき人間がやったことは、電源を入れて学習するための絵画のデータを用意しただけです。具体的な指示はしていません。後はプログラムが自動的に画像データを作ったにすぎないのです。出来上がった絵がどんなに素晴らしく、多くの人が感動したとしても、コンピュータは感動については理解していませんし、感動させようと計算した絵画でもありません。創作とは言えない計算結果にすぎないのです。

「Enpainter」の人工知能でゴッホ風に変換された著者の写真。

現状の著作権では、このような画像には著作権は認められず、著作物ではないと判断されます。

とはいえ、だからといってコンピュータが計算しただけの方法で制作された作品を誰でも自由に利用できるとなると、人工知能を開発した研究者やシステムを組み立てたエンジニアの苦労が報われないことになります。政府もこのことは問題にしていて、今後、知財（知的財産）として何らかの形で保護することが必要だという見識は持っています。

まだ結論が出ているわけではないですが、今後、人工知能が作り出したアート作品という新しいジャンルが生まれてきて、何らかの知財として保護されるようになると、コンピュータを24時間365日稼働させて大量にアート作品を創出するような時代がくるかもしれません。最終的には、決められた面積の中に色を置いていく作業でしかないので、あらゆるパターンが作られ終わると、もう、それ以上作ることができなくなります。分かりやすい例で言えば、俳句は5・7・5の17文字の組み合わせです。辞書データ等を使い、全てのパターンをコンピュータが作り出してしまえば、新しい俳句は作れなくなってしまいます。コンピュータ制作したものに対して著作権のような知財として保護するようになると、今度は人間の創作活動を狭めることになってしまうのかもしれません。

人工知能が作り出す作品をどのように扱うのか、また、その権利は誰に帰属するのか、まだまだ議論は終わりが見えていません。人工知能が著作権を持つのかどうか、注目していきましょう。

リアルの作品や権利の売買もNFTで行われるように

ＮＦＴを利用して、実にさまざまなデジタルデータが販売されているのが分かってきたかと思います。ここでは、さらに進んで、デジタルではないモノまでもがＮＦＴ化されて販売されている例を紹介しましょう。

２０２１年7月1日、日本のアニメで使われたセル画に特化したＮＦＴマーケットプレイス「楽座」がオープンしました。[※24]「楽座」で扱われているのは、実際にアニメ制作で使われたセル画で、ドラゴンボールZ、ルパン三世、ムーミン、風の谷のナウシカなど、大人気アニメのセル画を扱っています。「楽座」で購入できるのは、そのセル画の所有権。セル画そのものは、「楽座」側で管理していて、ＮＦＴを購入したからといって送られてくるわけではありません。ただ、この仕組みは非常に面白く、権利の証としてＮＦＴをインターネット経由でやりとりするだけ。つまり、日本だけでなく、世界中どこにいても「所有権」は購入することができるのです。日本のアニメは海外でも人気があるので、世界各国のアニメファンが「楽座」のＮＦＴで売買を始める日も遠くないのかもしれません。

購入した「所有権」は、転売するだけでなく、セル画を所有しているので貸し出すこともできます。例えば、アニメのイベントや作品展の主催者に対して自分の所有しているセル画を貸し出し、「賃料」を得ることができるのです。また、セル画を手元に置いておきたいと思ったら、NFTを焼却する条件（つまり、NFTの転売ができない状態にする）で楽座からセル画が送られてきます。リアルなセル画とデジタル世界のNFTとを組み合わせることができるという非常に面白い事例です。

他にも、フィットネスジムで鍛え上げた自分の身体の写真をNFT化して保存するサービスや、高級車のカーシェアリングの権利のNFT、コロナウイルス抗原検査の結果をNFT化するといったサービスまで登場しています。日々、新しいサービスが展開し、NFTは広がっています。

NFTを購入するには、まだまだハードルが高い

NFTでは、さまざまなモノやデータ、権利が販売されているのを見てきましたが、実際に購入しようとすると、オンラインショップで購入するようにはいきません。NFTマーケット

プレイスによって違いはありますが、ＮＦＴは、ブロックチェーンの技術を使っているので、仮想通貨での支払いが基本です。また、仮想通貨を持っていたとしても、オンラインのワレット（仮想通貨の財布）を使ってＮＦＴマーケットプレイスに接続する必要があります。

ＮＦＴマーケットプレイスでの購入手順

1　購入に必要な仮想通貨を取引所から購入
2　「MetaMask（メタマスク、オンラインのワレット）」を設定する
3　取引所で購入した仮想通貨を「メタマスク」に移動
4　ＮＦＴマーケットプレイスを「メタマスク」と連携する
5　ＮＦＴを購入

仮想通貨を使ったことがない人にとっては、これらの手順は何をしているのか、まったく理解できないでしょう。仮想通貨を売買したことがある人でも、送金や受け取りは分かっていて

も、オンラインワレットである「メタマスク」を使うことはないので、ピンとこないと思います。

なぜこんなに複雑なのかというと、繰り返しになりますが、NFTはブロックチェーン上の技術なので、仮想通貨で支払うしかないというところにあります。また、NFTマーケットプレイスには、仮想通貨を預けておく口座がないので、都度、支払う必要があります。

株式売買や為替取引では、証券会社に口座を持ち、そこに売買のためのお金を入れておきます。証券会社の口座にあるお金で、証券を売買するので証券会社のオンラインサイトのみで完結します。これが、証券会社に口座を持つことがなく、毎回クレジットカードで決済するとなると、変動する株価のタイミングに合わせられません。仮想通貨取引所も同じように、取引所に口座があるからこそ、変動する仮想通貨のレートに合わせて、素早く売買ができるのです。

NFTマーケットプレイスではそんなに頻繁に取り引きをするわけではないので、口座を作る意味はあまりありません。それよりも、仮想通貨の口座を持つ場合は、誰の口座なのか問い合わせに対応するために、個人情報の管理、本人確認などの手続きが必要になります。また、預かった仮想通貨の管理も必要になるので、それに伴う事務手続き作業やシステム開発のコスト負担、さらに法的な要件もクリアしなければなりません。そういう負担を軽減することを考えると、仮想通貨を預かっておく口座は作られないのですね。そのため、仮想通貨の支払いには、

「メタマスク」のようなオンラインウレットを使う必要があります。仮想通貨は、口座アドレスを指定して、送金することはできますが、もし、口座アドレスを間違ってしまうと、送金した仮想通貨は戻ってきません（どこの誰に届いたのか分からないので連絡手段がない）。NFTアートの場合、高額な送金を行わないといけなくなるので、口座情報を入力しなくても送金できる「メタマスク」を使うようになっているのです。

口座アドレスを入れない代わりに、「メタマスク」はNFTマーケットプレイスと直接接続できるので、こちらで送金先等を指定しなくても自動的に処理されるのです。ただし、注意しないと偽サイトに接続してしまうと勝手に送金されてしまって、取り返しのつかないことになります。利用する場合は、NFTマーケットプレイスのURLをしっかり確認し、間違いないことを確信してから接続しなければなりません。

このように購入の手続きがまだまだ煩雑なので、NFTマーケットプレイスを利用できる人は、ある程度、仮想通貨のやりとりをしたことのある人に限られてきます。まだまだ、アート作品に興味があって購入するというよりも、投資として見ている人、あるいは面白そうだからNFTを購入してみようといった人が多い状態です。さらに、NFTを購入できるぐらいの仮想通貨を余分に持っている人でないと、わざわざ仮想通貨取引所に登録して日本円を仮想通貨にしてから購入というのは考えにくいです。まだまだ一般の人たちはこの売買に参加できないというのが実情なのです。

そういう意味では、NFT市場が広がっていくかどうかは、NFTマーケットプレイスでの購入手続きがどれだけ簡単になるかにかかっています。「ヤフオク!」、「楽天」、「メルカリ」がNFT事業に参入するというニュースもあるので、今後、もっと簡単な手順になり、それこそ、フリマアプリを使うのと同じようにNFTを売買できるプラットフォームが登場することを期待しています。

ゲーム、スポーツ、芸能界とNFTは相性がいい

対戦ゲームのカード、スポーツのトレーディングカード、芸能人のブロマイドなどは、以前からファンの間ではコレクションを自慢したり、他のファンと交換したりすることが根付いています。

また、ファン心理としては、NFTのように希少性が高いほど、手に入れようとするでしょう。例えば、アイドルのファンが、握手券を手に入れるために同じCDを何十枚も購入してい

ることと同じです。それに加えて、何がファンにとって重要なのか、レアアイテムなのかといった情報が、ネットを通じて広まるので、その情報を利用してファンより先に手に入れて高く売ろうとする人たちまで出てきます。アイドルの限定グッズをヤフオクなどで何倍、いや、何十倍もの値段で販売されるのは、よくニュースに取り上げられるのでご存じでしょう。そこまでの流通量がないNFTでは、まだそういう例はありませんが、そのうちアイドルのNFTアイテムをいち早く手に入れて、高値でファンに売ろうとする人たちが出てきてもおかしくはありません。

ちなみに現在、アイドルや芸能関係のNFT利用を見てみるとこのようなものがあります。

・BABYMETALの結成10周年記念NFTトレーディングカード

BABYMETAL（ベビーメタル）は、日本人女性のメタル・ダンスユニットで、日本国内よりも海外での活動が多く、アメリカを中心に人気が高いグループです。そのベビーメタルの結成10周年を記念してNFTトレーディングカードが発売されました。[※25] 2021年5月7日、1枚100ドルで1000枚限定でしたが数分で完売し、その後、NFTマーケットプレイスで高額取引されるようになりました。シリアルナンバー1は約100万円もの値段で取り引きされたそうです。

・SKE48のNFTトレカ

SKE48は、秋元康氏がプロデュースしているAKB48グループの一つで、名古屋を中心に活動している女性アイドルユニットです。12周年を記念して2020年9月からNFTトレーディングカードを販売しました。[※26] キャンペーンを継続的に開催し、2021年6月には、NFTマーケットプレイス「コインチェックNFT(β)」でも取り扱われるようになっています。[※27]

・Perfumeのダンスの振り付けをデジタルアートにした作品

3人組のテクノダンスユニットPerfume（パフューム）は、2021年6月に、ダンスの振り付けをデジタルアートにし、NFTとして発売しました。コンピュータや最新テクノロジーを組み合わせたダンスユニットなので、NFTとも相性がよく、最終的には約325万円で落札されました。[※28] 8月には、第2弾が順次発売されています。

このように、NFTでの希少性を活かして売買されるのは、まずは、すでに多くのファンがいる業界であり、また、ファンが希少性のあるアイテムに価値を見出す、持っていることで自慢できるといった環境があることが前提になります。そういう業界が、NFTアイテムとは非常に相性がいいと思われます。すでに、韓国では、韓国芸能マネジメント協会がアイドルなどの肖像権をNFT化する動きが出てきています。[※29]

これから本格的に動き出すアート業界

ビープル氏の『Everydays: The First 5,000 Days』が、6930万ドル（約75億円）で落札されたニュースですが、この落札された会場が、世界的に有名なクリスティーズであったことは見逃せません。75億円という金額ばかりにフォーカスされますが、1776年のロンドンからスタートした由緒正しいクリスティーズでNFTアートが扱われたという事実は大きいです。

日本のアートビジネスと世界のアートビジネスは、少し動きが違うことも知っておくべきでしょう。私自身は、ITの専門家なので、アート業界に詳しいわけではないですが、海外で人気のあるアーティスト村上隆氏の書籍『芸術起業論』（幻冬舎2018年12月）によれば、日本と世界では、アートの立ち位置がかなり違うことが分かります。日本のアートは、その作品自体の美しさが価値として追及される傾向があります。そのために、美術に詳しくなくても、素人であったとしても「美しい」と感じることができる作品が多い。しかし、世界に目を転じると、その作品の生まれた背景や、それまでの美術史や社会構造の変化など、作品の裏側に流れるコンテクスト（文脈）の上に価値を見出します。アートに詳しい人たちは、美術史や今の世の中での位置づけなどから、解釈し議論し、価値が決まっていきます。そんな知識がない素人からすると、まったく価値が分からず、白いキャンバスに1本線を引いただけの絵画が、なぜ何千万円もするのか、理解に苦しむのです。

村上隆氏はその辺の違いを意識し、西洋での美術の流行り廃りや、どういうものが求められているのか、どんな解釈をすると価値が上がるのかを戦略的におこなっています。村上隆氏のアート作品には、日本のオタク文化を意識したものが多いのですが、日本のマンガやオタク文化が西洋で受けているから乗っかったというような単純なものではありません。日本古来の絵巻物や襖絵、屏風絵などをベースにし、そこに、現代日本のオタク文化を重ね合わせるという見せ方をしています。つまり、今のマンガやオタク文化というものは、日本の古くからのアートを受け継いでいて、その歴史の中から、現代社会の価値観や若者文化が生み出されてきたという解釈をするのです。だからこそ、形を真似て作ったアニメキャラの絵とは一線を画す歴史の流れの延長線上に出てきた作品として価値を持ちます（と、偉そうに書いていますが、アートの専門家からすれば、薄っぺらい解釈だと怒られそうです……）。

村上隆氏は、このような日本と世界（西洋）のアートの解釈の違いから、販売価格も1桁以上違ってくると言っています。

歴史的な意味を理解して、そこに登場してくるデジタルアート、そして、それをブロックチェーンに記録し、オリジナル作品を証明するＮＦＴは、これまでのアートとまったく異なる解釈ができるようになり、今日のデジタル社会だからこそ成立するアートの転換点であるとも言えるのです。

先のビープル氏のオークションが行われたのが老舗クリスティーズですが、オークションの世界で、もう一つ有名なサザビーズもＮＦＴ作品のオークションを開催するようになり、仮想通貨での支払いも受けつけるようになりました。世界のアート市場が、ＮＦＴアートの価値を認め、オークションも変化しているのです。このことを理解しないで、何億円で売れたといった表面的なことばかり追いかけていると、なぜ価値が出てくるのか、どうすれば価値が上がるのかを見失うでしょう。

アート業界を追いかける、ファッション業界

2021年4月には、日本で初めてのバーチャルスニーカーが発売され、140万円でしたが、9分で完売しました。[※30] バーチャルスニーカーなので、実際に履くことなどできず、デジタルデータしかありません。実用性はまったくないので、まさに、デザインを所有することにお金を出しているのです。

このように、ファッションの世界では、実用性よりもデザインに価値を見出して所有したいという人たちが出てきています。これに気がついたファッション業界は、アート業界を追いかける形で動き始めています。グッチ、ルイヴィトン、バーバリーなどがNFTに参入し、まだまだ実験的な意味合いですが、ゲーム内で使える公式アイテムや、ブランドイメージを作成した画像や動画といったアイテムをNFT化しています。まだファッション業界も手探りのところもありますが、ブランドに対する熱烈なファンは多いので、一点物であるNFTアイテムが登場すれば、競って購入するようになるでしょう。

また、第5章で詳しく説明しますが、今後、VR（バーチャル・リアリティ、仮想現実）が広がり、

アバター（仮想世界での自分の分身）でメタバースの中にいる時間が長くなると、ブランド商品のデジタル衣装、デジタル靴などが求められるようになってきます。そうなってくると、今の時代に販売されるＮＦＴアイテムは、ビンテージ物としての価値を生み出す可能性がありますね。

ＮＦＴ購入者は増えていくのか？

ここまで見てきたように、現時点でのＮＦＴ購入者は、仮想通貨の売買をしたことがある、レアアイテムに対する思い入れが強い、ＮＦＴの将来に期待している、といった人です。このような購入者は、日本国内どころか、世界でもまだまだ少ない状態です。

ただ、現実のアート市場全体を見ても、富裕層が増えている中国での売買が多くなっていることは注目です。２０１９年の世界の美術市場規模を見てみると、全体で７兆円、４割がアメリカ、２割がイギリスで、３番目に中国が２割弱で追い上げてきています。[※31] つまり、アメリカ、イギリス、中国だけで、全世界の８割を占めているのです。

ＮＦＴマーケットでも同様で、国境に影響されないことから中国からの購入が多いことは無視できません。今後のＮＦＴマーケットを考えてみると、中国に続き、急速に富裕層が増えていくインドや東南アジアからの購入者、あるいは、それらの地域を出身地として、先進国で成功した移民の人たちが高額なＮＦＴアイテムを購入するようになると思われます。

これから、ＮＦＴをビジネスに活用するのであれば、このような世界の動きを知り、日本国内だけではなく、世界を市場としてとらえるべきでしょう。

また、ＮＦＴマーケットプレイスも仮想通貨でのみ売買するのではなく、クレジットカードで決済できるところも出てきています。実際、『NBA Top Shot』では、クレジットカード決済に対応し、ファンの人たちは仮想通貨など知らなくても購入できるようになっています。このような購買方法が広まっていけば、購入者のすそ野が広がっていくのは間違いありません。

まとめ

・セクシー女優の波多野結衣氏がデジタル写真３０００枚をＮＦＴで販売し、７分で総額１億６６００万円の売り上げ。ただし、すでに台湾などアジアでも大人気であったこともあり、中国圏で多く買われている。

・バンクシーの絵をデジタルスキャンし、リアル作品は焼却。デジタルをNFT化して販売すると10倍以上の価格に。リアルとデジタルとのアートの意味、アートの価値が問われている。

・VRアーティストせきぐちあいみ氏の作品が1300万円で落札。海外で名前が売れていたからこそ高額になった。また、VR作品という販売しにくいものをNFTでオリジナルを販売できるということを示した。

・ツイッター共同創業者ジャック・ドーシー氏の最初のツイートが3億円。誰でも見ることができるツイートだが、本人が本物と認めたデータであること、インターネットの歴史、SNSの歴史の中で重要な位置づけになるという価値。

・オンラインゲームがブロックチェーンと組み合わさり、アイテムがNFTとして売買。履歴や所有者が明確になることで安心して売買されるように。

・スポーツ業界では、短い動画をトレーディングカードのようにNFTとして売られている。多くのファンが購入し、コロナ禍で観客が減ったプロスポーツに大きな貢献をしている。

・音楽、電子書籍、ドメイン、仮想空間の土地、さらには、リアルのアート作品、さまざまな権利までもがNFT化され売買が始まっている。

・まだまだNFTの購入手続きのハードルが高い。
・ファンが多いゲーム、スポーツ、芸能関係は、NFTと相性がいい市場。アート作品も大手のオークションであるクリスティーズやサザビーズが扱い始めた。追いかけるようにファッション業界も動き始めている。
・日本国内だけでなく、海外でも購入者がいることを意識する。
・クレジットカード決済で広がることが期待される。

コラム3

アートの投資は作品で決まらない？

一般的なアート作品の投資としては、『東洋経済2021年2月20日号』で、オンライン・オークションギャラリー tagboat代表の徳光健治氏の書かれた「アート投資の5カ条」が参考になるでしょう。この中で徳光氏は、「投資する対象は、作品ではなく作家である」と書いていて、作家の将来性を見極めて有名なアーティストになるかどうかが重要であるとしています。アート作品に限らず、コレクター商品というものは、将来どうなるかが作品の価値を決めます。アーティストが有名になれば、初期の作品の価値が上がるのであって、どんなに素晴らしい作品であっても、そのアーティストが無名なままであれば、それほど価値は上がりません。誰もが名前を知っている画家のゴッホも、生前、売れた作品は『赤い葡萄畑』の1点のみと言われています。それが、何十億円以上もの価格で落札されています。

世界の2大オークションハウスのサザビーズやクリスティーズでは、コレクターがアーティストの価値を高めるために、特定のアーティストの作品ばかり買い漁ることがあります。そうすることで、そのアーティストの作品全体の価値が上がっていくのです。

このように一つの作品だけで価値が分かるようなものではなく、作家のすべての作品や希少性など、幅広い視点で見ていくことが必要になります。

NFTアートも同じことで、NFTブームに乗って高額取り引きされる、今だけ話題で高額になっている作品もあるので、アート作品、アーティストの評価だけでなく、NFTマーケット全体の動向も合わせて考える必要があり、5年後、10年後、いや、50年後は、どうなっているのか自分で考えることが必要です。

第3章　NFTの可能性

契約書と「スマートコントラクト」

ＮＦＴの事例を見てきましたが、ここではもう少しＮＦＴの技術的な内容と、それがもたらす可能性について考えてみたいと思います。繰り返しになりますが、ＮＦＴは、何か「物」や「サービス」を販売しているのではなく、基本は、「所有権」という権利を販売しています。これは、価値をやりとりしている仮想通貨とは少し違うところです。

第1章でも説明したのですが、少し復習しておくと、ビットコインやイーサリアムといった仮想通貨の場合は、口座Ａから口座Ｂへ1ビットコイン、1イーサリアムなどの「価値」を移動させています。そして、その移動を取引履歴としてブロックチェーンに記録していきます。あ

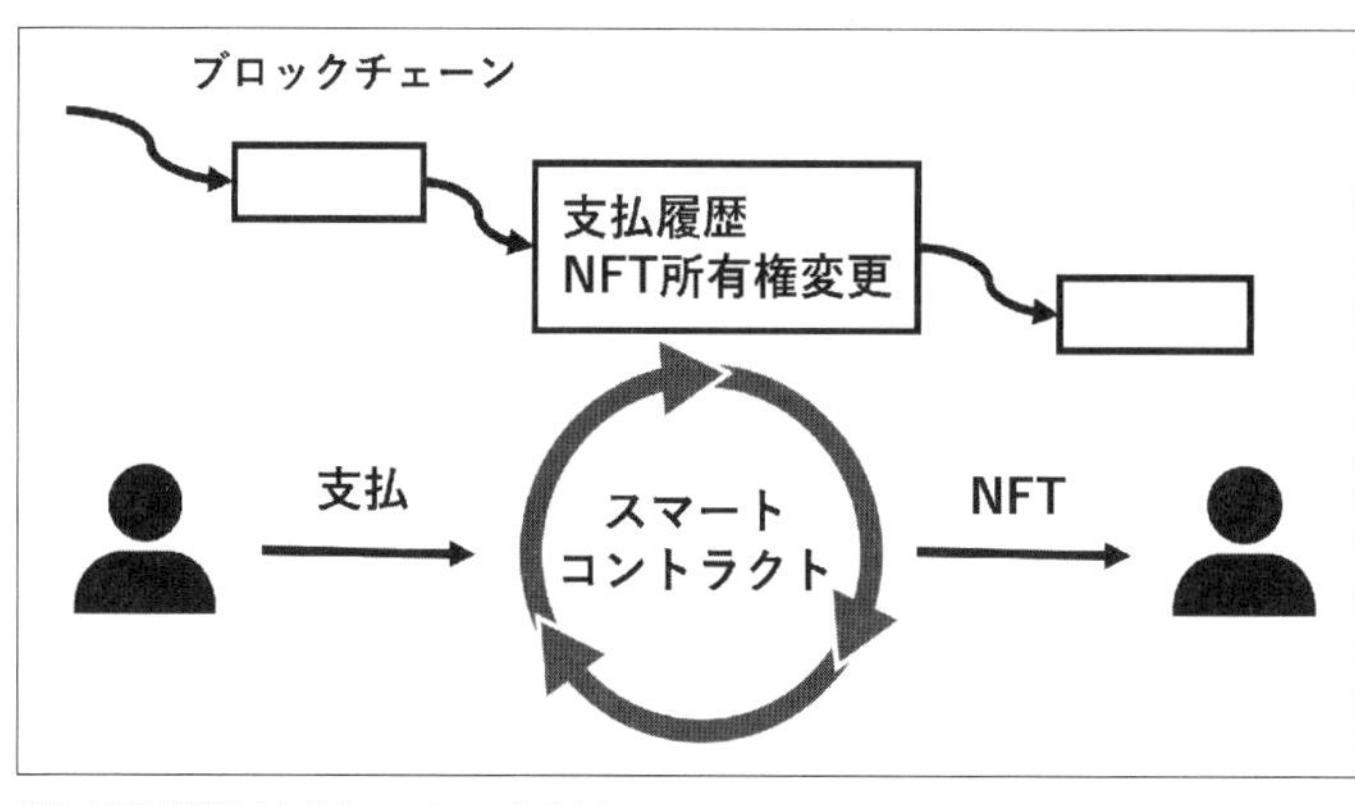

自動で契約が実行されるスマートコントラクト。

くまでも価値の移動だけなので、権利とはまったく関係ありません。

これが、NFTになると、デジタルデータがどこにあるのか、アーティストは誰なのかといった情報がブロックチェーンに書き込まれます。これを「Minting（ミンティング、鋳造）」、「ミントする」といった言い方をしています。仮想通貨の記念硬貨を「鋳造」すると思っていただければ、分かりやすいでしょう。

この記念硬貨は価値が変動するので、そのときの売買価格が変化します。オリンピック記念硬貨に「500円」と書かれていても、人気が出れば1万円で取り引きされるのと同じです。

このような取り引きは、先の仮想通貨の価値を移動するのとは違って、都度、価格が異なり、また、そこに記載された権利が譲渡されることになります。このような仕掛けは、「スマートコントラクト」という機能で実現されています。

「コントラクト」は「契約」という意味で、権利を譲渡する契約をコンピュータが理解できるプログラムにして、ブロックチェーンに組み込んでしまいます。そうなると、それ以降は誰も変更できなくなり、仮想通貨の支払いが行われれば、自動的に権利が譲渡されていきます。契約が自動実行されるので、「スマートコントラクト（賢い契約）」と呼ばれているのです。

現実世界の契約書で同じことをやろうとすると、売る人と買う人で書面を取り交わし、署名、捺印をしてそれぞれ1部ずつ保有。結構、面倒な手順を踏んで契約するのですが、お金を払ったのに権利を譲渡してくれないとか、逆に権利を渡したのに全額支払ってくれないなどの問題が生じれば話し合いになります。それでも解決しなければ、最悪、裁判となってしまいます。

「スマートコントラクト」の場合は、プログラムが仮想通貨の支払いをチェックし、自動的に権利を譲渡。支払いや譲渡の情報をすべてブロックチェーンに記録します。分割払いのような契約であっても、プログラムをそれに合わせて作れば、何回で支払うのか何回目で権利を譲渡するのか、もし、途中で支払いが滞ったら権利を戻すといったことまでコンピュータが自動的に行います。リアルの契約書とは違って、トラブルが起きにくい状態を作ることができるのは、「スマートコントラクト」の優れているところですね。ここを理解できれば、今後、さまざまな権利関係の売買契約がＮＦＴ化され、自動化されていくことが容易に想像できると思います。

これは、昨今言われている脱ハンコとか、電子署名とか、単純なデジタル化ではありません。契約そのものをプログラムにして、コンピュータが契約履行状態を管理して契約書通りに処理していくということで、劇的な変化をもたらします。例えば、手続きの書類を作成する司法書士といった士業の方々の仕事も、無くなってしまう可能性もあります。こういった変化が今、ＤＸ（デジタル・トランスフォーメーション）と呼ばれているものです。

「ERC20」、「ERC721」、「ERC1155」は、イーサリアムの規格

ＮＦＴのことを調べていると、「ＥＲＣ20」、「ＥＲＣ721」、「ＥＲＣ1155」という言葉を見かけると思います。これらは、イーサリアムの規格で、どのようにトークンを扱うのかが定められています。内容を知らなくてもＮＦＴの売買は可能ですが、このような規格があり、この規則にのっとって行われている、さらに標準化がオープンにされていることが分かれば、ＮＦＴの取引の信頼性が深く理解できるようになるでしょう。それぞれの規格について簡単に説明しますので、概要だけでも知っておいてください。

まず、「ERC」ですが、「Ethereum Request for Comments」の略で、イーサリアムでの技術提案の文章になります。番号は、提案されたものから順につけられていて、「ERC20」は20番目になります。

「ERC20」は、トークンの転送、トークン情報の取得といったことが決められていて、イーサリアムを送金したり、受け取ったりするための規格です。仮想通貨を使った価値のやりとりの方法を決めています。

「ERC721」は、NFTに関する規格になっていて、唯一のトークンであることを示すIDや、所有者が誰なのかを示すアドレスなどの情報の取り扱いについて決められています。

「ERC1155」は、「マルチトークンスタンダード」とも呼ばれ、1回の取引で、複数のトークンを扱うことができます。ゲームで、キャラクターとそのキャラクターが装備しているアイテムを取り引きする場合、個別にやりとりしていると、何度もやりとりすることになります。これを、1回のやりとりで、キャラクターも装備しているアイテムも取り引きできるようにしているのが「ERC1155」です。このことで、取引手数料が1回分で済むというのも、大きなメリットです。

このような規格に基づいて、NFTマーケットプレイスは運用されているので、どのマーケットプレイスであっても、イーサリアムで売買でき、ブロックチェーン上にNFTが一つしかないという運用が可能になります。ばらばらのシステムが動いているのではなく、こういう共通規格の上に成り立っているのです。

「スマートコントラクト」だから実現できる転売によるロイヤリティ

アーティストが作品を販売する場合、まだまだ駆け出しの無名のアーティストでは、安い価格でしか売れません。売れればいい方ですが、ほとんどの場合、買い手がつかない状態です。その後、人気が出てくると、初期の作品であってもどんどん価値が上がっていき、オークションで数千万円、数億円で落札されることになります。

すでに市場に出ていった作品が高値で転売されたとしても、アーティストには1円も入らないと言われますが、実は、国によって異なります。日本の法律には定められていないのですが、「追求権」といって、オークションハウスなどで転売された場合、その金額の一部がアーティストに支払われる国もあります。フランスから始まったと言われる権利で、EU諸国を中心に実施されているのです。NFTの説明で、これまでは転売されてもアーティストには利益がなかったと説明しているケースがありますが、正しくは、日本にはそういう制度がないだけであって、国によって異なるというのが正しい認識です。また、「追求権」が設定されているヨーロッパのオークションハウスで日本人アーティストの作品が落札されたとしても、日本に「追求権」がないために適応されません。なんか腑に落ちないのですが、これが国際的な取り決めになっています。

さて、「スマートコントラクト」の機能としてNFTは作られるので、そのプログラムにロイヤリティを設定し、アーティストに転売金額の一部が自動的に送金される仕組みを作ることが可能です。ロイヤリティの割合ですが、プログラムなので特に制約はありません。極端なことを言えば、転売価格の100%をロイヤリティとしてアーティストに入るようにすることもできます。もっとも、そんな設定をしてしまうと誰も転売しないので意味はありません。10%以下にするのが一般的で、10%に設定していても、アート作品の評価額が上がっていかなければ、転売されることはないでしょう。ロイヤリティが設定できるからといって、なんでもかんでもNFTにしてロイヤリティを設定すればいいというものではないのですね。また、このパーセンテージは、一旦、設定するとブロックチェーンに組み込まれるので、後から変更できないことも知っておいてください。

いずれにしても、日本では、これまで実現できなかったアーティストの収益源なので、注目されています。

「ハッシュマスク」は、アート作品を売るのが本質ではない

「Hashmasks（ハッシュマスク）」は、特定の作品の名前ではなく、アートプロジェクトの名前です。[※32] ベースになる絵は、マスクをした人物の上半身で、それを70人のアーティストがさまざまなマスクや服装、背景にして、1万6384枚作成されました。全て異なる絵になっていて、一気に売り出されるのではなく、定期的に一部の絵が販売されます。初期販売では、1週間で10億円もの売り上げになりました。色や背景によって人気が出て高値になる絵もあり、なかには7000万円近い金額で取り引きされたものもあります。

単純にデジタルアートを売り出しているだけではなく、いろいろな仕掛けがあります。まず、「ハッシュマスク」のNFTを所有していると、毎日、「NCT（Name Changing Token）」という仮想通貨が10枚配られます。この仮想通貨を1830枚集めると、所有している絵に名前をつける権利と交換することができます。お気に入りの作品に自分の好きな名前をつけることがで

きるというのは、コレクターにとっては嬉しいこと。１８３０枚なので、約半年所有していれば名前をつけることができますが、いち早く名前をつけたいと思うのであれば、他の「ハッシュマスク」のＮＦＴアートを持っている人から譲ってもらうのも一つ。実際、ＮＣＴを取り引きするマーケットもできています。

なお、ＮＣＴは10年間の限定発行になっているので、名前をつける回数には制限があり、名前をつけるために支払ったＮＣＴは戻ってこないので、だんだんＮＣＴの数は少なくなっていきます。数が少なくなればＮＣＴの価値も上がり、名前をつけることの価値が高くなるように仕組まれています。

「ハッシュマスク」のＮＦＴを返却する、つまり、所有権を返すと、マスクトークンを1枚受け取ることができます。このマスクトークンは、別の「ハッシュマスク」の作品のＮＦＴと交換可能です。つまり、作品が気に入らなかったら返却して、別の作品に交換できるのです。ただし、交換するといっても、ほしい絵を指定できるのではなく、ガチャのようにどんな絵が出てくるのかは分かりません。もちろん、マスクトークンを他の人に譲渡することもできるので、ここでもまた、新たな経済の動きが出てきています。

このように「ハッシュマスク」のプロジェクトは、単にＮＦＴアートを売買しているだけで

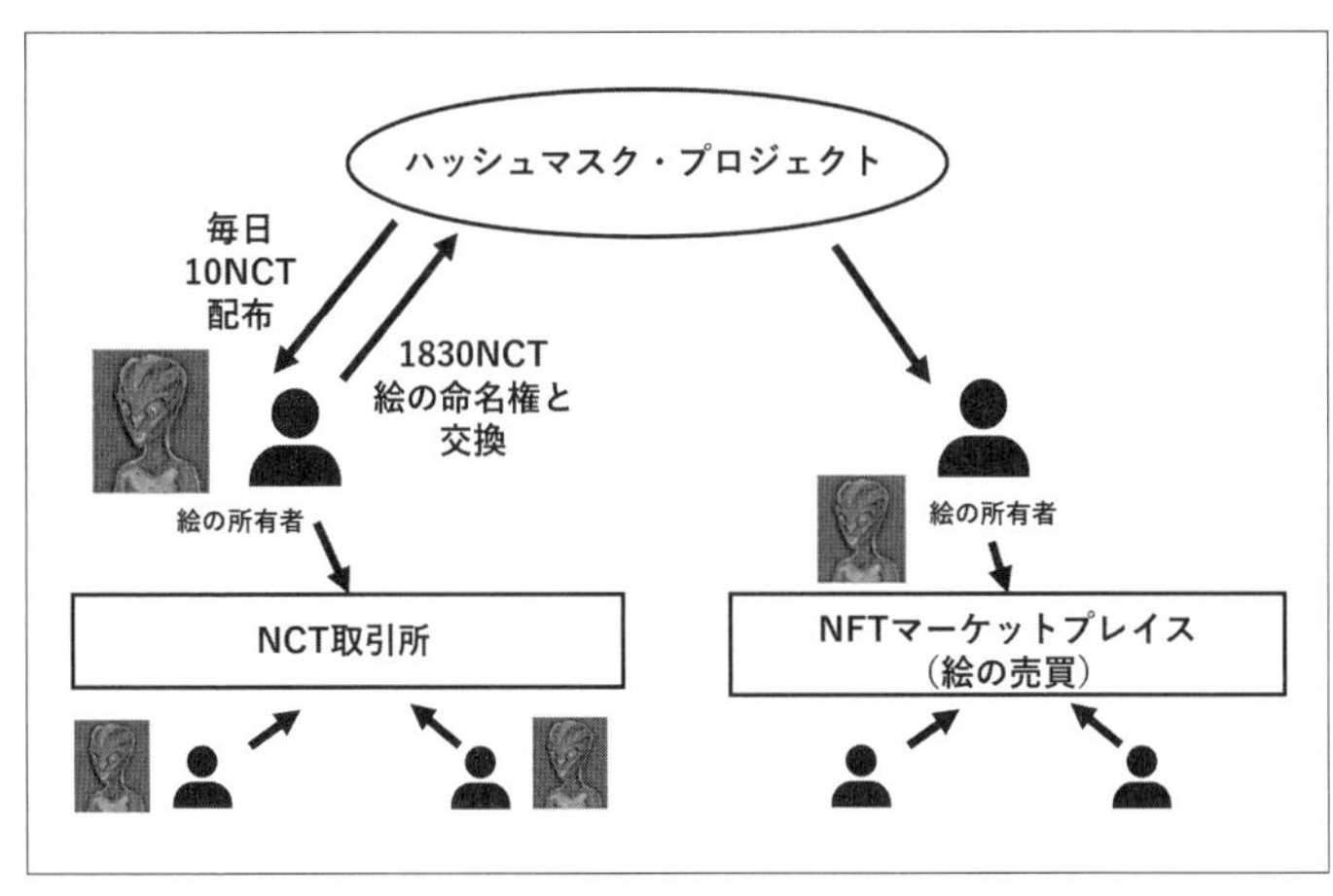

ただ絵を販売するだけではない「ハッシュマスク」の例。

なく、命名権（NCT）や、「ハッシュマスク」のNFTを入手する権利（マスクトークン）といったアート作品に付随する権利をも売買できる仕組みを作っています。

さらに、話題性やコミュニティを育てていく仕掛けとして、アーティストの70人についての情報は非公開で、それぞれの絵には、数字や記号が隠されています。この謎解きを楽しむために、「ハッシュマスク」の所有者だけでなく、興味のある人たちがコミュニティを作って、人気が継続するような仕組みまで考え抜かれているのです。これだけのことを考え、しっかりと仕組み化しているよく練られたプロジェクトで、参考にすべきことが多々あります。このことについては、第5章で改めて詳しく解説します。

変化し続けるアート、永遠に未完成のアート

絵画や彫刻などのリアルなアート作品は、アーティストが発表すると完成した作品であり、それ以降手が加えられることはありません。ただ、絵の具が変色したり彫刻にひび割れが入ったりするという時間経過での劣化が起きます。それを防ぐために、希少性の高い作品はできるだけ劣化させないように湿度や温度を最適に調整し、光をも遮って厳重に管理されています。

一方、デジタルアートの場合は、デジタルが劣化することはありえないので、未来永劫同じ状態で鑑賞できると言えるでしょう。作品が発表されたときの状態が、いつでも鑑賞できるのです。

ただ、ここにNFTと組み合わせていくと、逆に変化するデジタルアート作品を作り出すことができそうです。例えば、デジタル絵画のキャンバスを100個に分割し、それぞれをNFT化します。そのNFTを所有している人が、キャンバスを書き換えることができて、所有者が変わると絵が変わっていきます。最終的にどんな絵になっていくのか、100枚の絵を一つで見たときにどうなるのかは、誰も分かりません。そうやって、永遠に書き換わっていくアー

ト作品というものも生まれるかもしれません。しかも、その作品は、ブロックチェーンによって誰が関わってきたのかがわかるわけですね。

アート作品でなくとも、大きなビルや橋など、関わった職人さんの名前をブロックチェーンで記録し、NFTを使ってどの部分に誰が関わったのかが分かるようにすることもできます。何十年、何百年後に、未来の人たちが、ネジを締めた人、ペンキを塗った人の名前を知ることができるというのは、歴史を感じることができる建築物になるのではないでしょうか。

このように、今まではできなかったことをNFTやブロックチェーンで新しい発想で作り上げることができるので、まったく違う表現方法のアート作品が登場してくると思います。

購入してからも加筆・更新され続けるNFT電子書籍

電子書籍の販売は、一般的には利用権の売買になっています。特に、読み放題などのサブスクリプション形式では、利用権なので他人に渡すこともできず、所有するものではありません。サブスクリプションサービスが終了すれば、読むことすらできなくなるのです。

電子書籍がNFTになれば所有権を移せるので、他の人へ譲渡することが可能になります。読んだ後、譲ったり売ったりすることができるので、紙の本と変わらないことが可能で、電子書籍の古本を扱うサービスも出てくるでしょう。

さらに、電子書籍だからこそできる販売後に加筆・更新されていくＮＦＴ電子書籍も出てきています。BlockBase株式会社と株式会社幻冬舎は、設楽悠介氏の『加筆されていく「畳み人」という選択』という電子書籍を２０２０年3月にＮＦＴで販売しました。[※33] この電子書籍は、２０２２年2月まで、定期的に加筆更新され、ＮＦＴで購入した人だけが閲覧できるようになっています。購入してからも、本の内容が増えていくというのは、サブスクリプションや雑誌の定期購入のような販売方法です。

ＮＦＴ電子書籍なので、購入した人は、他の人に譲渡することができ、その転売した価格の一部を著者や出版社に還元される仕組みも組み込まれています。アート作品だけでなく、紙の書籍も2次流通（古本の売買）が大きくなってきて、著者や出版社に還元されないのが大きな問題になっていますが、ＮＦＴ電子書籍は、2次流通の問題も解決し、さらに、サブスクリプション形式とも融合したような電子書籍になっています。

ひょっとしたら、こういう実験的な試みから、途中の原稿をＮＦＴ電子書籍で販売し、その後、じっくりと推敲を繰り返して完成していく、その推敲過程を楽しむことができるＮＦＴ電子書籍などというものも出てくるかもしれませんね。

コラム４　１点が重要な絵画と、何回も利用されることが重要な音楽の根本的な違い

絵画と音楽、どちらも創作物であり、同じように思えます。ただ、その価値のつき方、鑑賞方法に大きな違いが出てきます。

絵画は、展示会や博物館に行って、本物を鑑賞することに価値がありますよね。いくら綺麗な写真や４Ｋの動画で見たところで、なんとなく、本物の作品に直接接することに大きな意味があると思ってしまいます。だからこそ、本物の１点に価値があり、オークションでは落札価格を競うことになります。アーティストからすれば、その１点しか販売できないので、いかに高く売れるかが重要です。

これが、音楽になると、少し様子が違ってきます。音楽も、確かに、コンサートで生演奏を聴くことに価値がありますが、とはいえ、ＣＤやダウンロードした音源でも十分に楽しめます。ミュージシャンの最初の演奏だからといって、高額取引されるようなこともあ

りません。コンサートの回数が増えても価格が下がるということはなく、逆に回数が多いほど人気のあるミュージシャンということで、チケット料金が高くなります。ミュージシャンからすれば、1曲の料金よりもどれだけ多く販売できるか、どれだけ多く再生されるかによって収入に差が生まれます。

このような違いで、NFTを利用しやすいかどうかが決まってくるように思います。絵画は一点物であり、いくら精巧に作られたとしても、贋作と本物では大きく価値が違ってきます。このような価値観があるからこそ、デジタルアートでもNFTによってオリジナルが定まれば、その希少性によって極端に値段が上がっていきます。

音楽の場合は、CDの音楽とダウンロードした音楽に違いはありません。NFTによって、ミュージシャンが原曲として一つの音源を決めたとしても、絵画のように何千万円、何億円になるかというと、なかなか難しい気がします。元々、一点物という音楽の価値が存在していないからです。そのため、NFT音楽の場合は、コンサートのチケットなど特典をつけて販売しています。こういう状況もあって、NFTでの音楽販売は、絵画の作品に比べると極端にNFT作品が少ないのです。

鑑賞方法についても、絵画と音楽では、大きな違いがあります。絵画は、絵を壁に掛けておくだけで鑑賞することができます。筆のタッチや絵の具の盛り上がりなど、アーティストの痕跡も自分の目で確認できます。

しかし、音楽は記録媒体に入っているので、音を再生する装置が必要です。CDプレイヤーやアンプ、スピーカーなどが必要です。ダウンロードするなら、スマホやパソコンなどコンピュータが必要になります。さらに、機器の差によって聞こえ方が違ってくるというのも音楽の特徴です。1万円のCDプレイヤーでイヤホンを通して聴くのと、何十万円もするCDプレイヤーと何百万円もするスピーカーのセットで聴くのとでは、まったく違う音になるので、オーディオマニアは、スピーカーやアンプ、接続するケーブルなどにこだわるのです。

デジタルアートは、絵画と音楽の中間位置にあるような存在だったのですが、NFTによって絵画寄りになってきました。

今後、音楽のNFT化は、絵画のような一点物の価値という考え方が浸透していくのか、あくまでも特典がついた音楽といった解釈になっていくのか要注目です。

ＮＦＴを「焼却」することで新たなＮＦＴを手に入れるとは？

ここからは、単なるオリジナルの証明ではなく、発展した形でのＮＦＴの展開について考えてみようと思います。どれも、まだまだ事例が少ないのですが、今後、思っても見ないようなアイデアと組み合わさって、一気に展開してくる可能性を秘めています。

まずは、「バーナブルＮＦＴ」と言われる、ＮＦＴを焼却することで手に入れられるＮＦＴについて説明しましょう。

ＮＦＴとは、オリジナルがどこにあるかを示しています。そのＮＦＴを焼却（burn、バーン）する、つまり、オリジナルである証明を無くしてしまうことを焼却といいます。証明書が無くなるということは、オリジナルもコピーも区別がつかなくなり、デジタルデータのオリジナルが存在しなくなります。

さて、ここで、ブロックチェーンを理解している人ほど、ＮＦＴを焼却するということに違和感があるのではないでしょうか。なぜなら、ブロックチェーンに記録されたデータを消去（改ざん）することなどできないからです。そんなことが簡単にできるなら、ブロックチェーンの信頼性などありません。

ＮＦＴを焼却するというのは、誰も操作できないアドレス（誰もパスワードを知らないアドレス）にＮＦＴを送り、二度と使えない状態にすることを意味します。そのアドレスに送られた記録も残るので、焼却されたことが誰でも確認できるというところが重要なポイントです。

この「バーナブルＮＦＴ」の事例としては、デジタルアーティストＰａｋ（パーク）氏が運営するプロジェクトが有名です。パーク氏の作品は、老舗のオークションハウスであるサザビーズでも取り扱われていて、２０２０年12月には、約１億１０００万円でＮＦＴアートが落札されています。そんな実力のあるアーティストが運営するプロジェクトなのです。

このプロジェクトでは、所有しているＮＦＴトークンを焼却すると、「ASH Token（アッシュトークン）」が手に入ります。「アッシュ」とは、「灰」という意味なので、まさに、ＮＦＴを焼却して灰にしたということです。焼却するＮＦＴはパーク氏の作品に限らず、さまざまなＮＦＴが対象になるとのことで、そのＮＦＴの供給量などを考慮して「アッシュトークン」に交換されるそうです。この辺は、焼却するＮＦＴをどのように評価するのか、議論を呼びそうです。

そうやって手に入れた「アッシュトークン」は、パーク氏の特別な作品と交換できるようになるそうで、別のアート作品のＮＦＴを焼却しないと手に入らない作品になります。デジタルアートの価値をどのように考えるのか、NFTを焼却しても、残っているデジタルアートの価値をどう見るのか、アートを犠牲にしないと手に入れられないアートというかなり挑戦的なプロジェクトになっています。

現実世界の出来事と連動する「ダイナミックNFT」

飲食店で、雨の日は10％割引のクーポンをSNSで配信するといったことがあります。これは、雨が降るという出来事に連動して、クーポン券が配信されるわけです。これと同じような仕組みをNFTにも取り入れようというのが「ダイナミックNFT」です。

本来、NFTは現実の出来事とは関係なく作られます。『NBA Top Shot』にしても、試合の映像を編集し運営側が数を決めてNFTとして販売します。その試合の点差がどうだったとか、誰がシュートを決めたかは関係ありません。これらのNFTは、静的なものであり、現実に起きるイベントなどで左右されることはありません。

しかし「ダイナミックNFT」は、イベントが起きるごとに、NFTを発行する仕組みになっていて、リアルなイベントの変化によって、NFTの発行量などが変化します。例えば、大谷翔平選手がホームランを打つと、『大谷翔平ホームランNFT』が発行されるようなものですね。

ただし、これを実現するには、NFTの仕組みだけではうまくいきません。現実世界に起きることをデジタルの世界に伝える橋渡しの機能が必要となってきます。この役目を行うのが、「オラクル」という現実のイベント情報を提供する仕組みです。「オラクル」というと、コンピュータ業界では、データベースの会社の社名と同じなので間違いそうなのですが、それとはまったく別の「オラクル」というシステムです。

この「オラクル」の仕組みを開発するのは簡単ではありません。コンピュータの中、特に、NFTを発行するブロックチェーンの「スマートコントラクト」が、「大谷選手がホームランを打った」ということを、どうやって受け取ればいいのかが非常に難しいからです。

人間は、実際の試合を見れば、大谷選手がホームランを打ったというのは一目で分かりますが、コンピュータには目も耳もありません。カメラで撮影した映像を解析し大谷選手だと判別し、さらに打った打球の映像を解析し、ホームランであることを確認する必要があります。さらに、その映像が録画ではなく、今行われている試合であることも判別しなければなりません。そんな仕組みを作ろうとすれば、莫大な予算が必要になってしまいます。

だからといって、スタッフが、大谷選手がホームランを打ったときにボタンを押せばいいのかというと、別の選手が打ったのにボタンを押してしまう、最終的にファウルになったのに押してしまったという間違いも起きてしまいます。場合によっては、『大谷翔平ホームランＮＦＴ』がほしくて、試合のないときにボタンを押すかもしれません。

これを解決するには、例えば、スポーツのニュース速報を配信しているＷｅｂサイトを複数チェックし、全てに大谷選手がホームランを打ったという情報が掲載されれば、それが現実に起きたイベントとして、ブロックチェーンの「スマートコントラクト」に知らせるといった作り方が、今できる現実的な仕組みでしょう。「オラクル」は、一つの情報だけでイベントが起きたと判断するのではなく、複数の情報を参照しながら判定する仕組みが必要になるのです。

「ダイナミックＮＦＴ」の事例としては、スポーツのファントークンを発行・運営している「Chiliz（チリーズ）」があります。チリーズには、ＦＣバルセロナをはじめとして、ヨーロッパのサッカー・クラブチームがいくつも参加しており、サッカーの試合でゴールが決まったとか、相手チームとの点差が大きくなったといったイベントに応じてＮＦＴが発行されます。

「ダイナミックＮＦＴ」は、「オラクル」の仕組みとともに、大きく発展していくことが期待されていて、将来的には、天候などの自然環境をもイベント情報として取り込んで、天候がよくておいしく育った野菜を購入できるNFTといったものが発行されるかもしれません。

複数のNFTを組み合わせることで新たな価値を生み出す「コンポーザブルNFT」

鳥山明氏の漫画『ドラゴンボール』は、世界に散らばったドラゴンボールを七つ集めると、神龍が現れて願い事を叶えてくれます。これと同じように、複数のNFTを組み合わせて、新たな価値を生み出す仕組みが「コンポーザブルNFT」です。

分かりやすいのは、オンラインゲームのアイテムでしょう。香港のゲーム会社「Animoca Brands」が開発しているF1（フォーミュラー・ワン）公式ライセンスを取得した『F1® Delta Time』というゲームは、その名の通りF1レースのオンラインゲームになっています。面白いのは、レースで使用するレーシングカー、レーサー、手袋などのアイテムがNFTになっていて、その組み合わせによって順位に影響する「コンポーザブルNFT」が使われています。どのような組み合わせがいいのか、それを探っていく面白さがあるのです。

「コンポーザブルNFT」は、シリーズもののアイテムにも応用ができます。例えば、アート作品で、12種類全て揃えてコンプリートすれば、特別な13番目の絵画を見ることができるといった仕組みを組み込めます。あるいは、NFT化した映画の電子チケットで、全シリーズ3作品をすべて見た人のみ、特別試写会に参加できるといったこともできるでしょう。今でも、映画館の半券を送って応募するとかできますが、本当に本人が見たかどうかは分かりません。しかし、NFTと電子チケットを組み合わせれば、本当に映画館に行った人だけを集めることができます。

高額なNFTアートを複数人で所有する「フラクショナルNFT」

ビープル氏の75億円のNFTを一人で購入するのは、かなりの資産家に限られます。そこまで極端でなくとも、数億円、いや、数千万円のNFTアートであっても、なかなか個人で購入するのは難しいものです。

そこで考え出されたのが、一つのNFTを分割するという考え方。1億円のNFTアートを100個のNFTに分割すれば、100万円単位になり、購入できる人が多くなります。株式発行や投資信託のように、複数の人からお金を集め、大きな買い物ができるようにするのと同じです。このようにNFTを分割できるようにするのが「フラクショナルNFT」です。

「フラクショナルNFT」を使っているマーケットプレイスには、中国の「DODO NET」があります。NFTを登録すれば、「フラクショナルNFT」として、複数のNFTが発行され、複数人で所有することが可能になります。ただし、注意しなければならないのは、技術的には可能であっても株式発行や投資信託と同じような仕組みになるので、各国の法律の制限を受ける可能性が高いという点です。アメリカの証券取引委員会のヘスター・ピアース委員は、「フラクショナルNFT」が投資商品に該当する可能性もあると警告しており、今後は証券取引法に触れると判断されるかもしれません。

「インスタグラム」がNFT機能追加か

写真を共有するSNSである「Instagram（インスタグラム）」にNFT機能が追加されるということがリークされました。[※34]「Collectibles（コレクティブルズ）」と呼ばれる機能で、インスタグラムのユーザが写真を投稿したときにNFT化することができるようです。詳細は発表されていないので、実際に運用されるころにはどのような機能になるのかは分かりませんが、インスタグラムに追加されると大きな変化が待ち受けていることが予想されます。

今はインスタグラムに投稿した写真が多くの人に支持されて「いいね」が何万もついたとしても、1銭にもなりません。しかし、その写真がNFT化され売買可能になるとすると、何万もの「いいね」がつく人気の写真ということでお金を出してでもほしいという人も出てくるでしょう。場合によっては、インスタグラムがアクセスを集められるコンテンツとして、NFTを買い取ってくれる可能性だってあります。そもそも、インスタグラムにとってはアクセスを集めてくれるコンテンツは、広告収入につながるので何らかのインセンティブ(報酬)を提供してでも手に入れたいはず。

このように運営主体に対して何らかのメリットを提供してくれる利用者に対しては、それ相当の報酬を支払う関係性が注目されています。例えば、アーティストやミュージシャンでも、無名の時代からずっと応援してくれたファンを大事にするというのと同じです。そういうファンがいたからこそ、だんだんステップアップして有名になり一流になっていきます。企業でも「お得意様」という言い方があるように、長くおつき合いのあるお客様との関係性を大事にします。

インスタグラムも同様のことをNFT機能で行う可能性があるのです。投稿された写真がアクセスを集め、アクセスを集めればインスタグラムにとっても広告収入に結びつきます。そのインセンティブを提供する方法としてNFTを利用する。新しいインスタグラムとユーザの関係性が生まれてくるかもしれません。

ちなみに、このような新しい関係性を「インセンティブ革命」と呼ぶことがあります。まだまだ出てきたばかりの言葉ですが、企業は利益を独り占めするのではなく、利用者とも分かち合う関係性を築いていくことが、今後の社会では求められてくるでしょう。そういう世の中の変化において、ＮＦＴは大きな役割を担うことになりそうです。

ＮＦＴ関連仮想通貨とは？

ＮＦＴそのものとは違いますが、ＮＦＴ関連仮想通貨についても知っておきましょう。前述したようにイーサリアムの「スマートコントラクト」を利用して登場してきたＮＦＴなので、イーサリアムのブロックチェーンを利用するＮＦＴマーケットプレイスが多いのが今の状態です。

ただ、このことで、イーサリアムの人気が一気に高まり、ガス代（手数料）がどんどん高くなってしまい、高いときにはＮＦＴを発行するのに数万円かかるようなことにもなりました。こんな状態では、気軽に使えませんし、数万円の作品に対してガス代の方が高いといったことになってしまいます。

このことから、イーサリアムではなく、ＮＦＴに特化したブロックチェーンで運用すべきではないかという流れで、さまざまな仮想通貨が登場してきました。このような、ＮＦＴを意識した仮想通貨をＮＦＴ関連銘柄と呼んでいて、「Enjin Coin（エンジンコイン）」、「Chiliz（チリーズ）」、「Polygon（ポリゴン）」、「Decentraland（ディセントラランド）」、「Flow（フロウ）」など、それ以外にも世界の取引所で扱われているものが１００種類以上あります。ただ、残念ながら、日本の取引所で取り扱われている銘柄は少なく、これらの仮想通貨を手に入れたいと思うなら海外の取引所を使う必要があります。ところが、海外の取引所で直接口座を開くには現地の銀行口座が必要になるので日本に住んでいると難しいです。そうなると、一旦、日本の取引所でビットコインやイーサリアムを購入した後、海外の取引所で他の仮想通貨に交換することになり、手間と手数料がかかっていくので、この辺も悩みどころですね。さらに、海外の取引所は、日本の法律とは関係ないので、トラブルが起きてもどこまで対応してくれるか分かりません。そもそも、英語で問い合わせることになるのでその点も理解した上で利用しなければなりません。

それから、ＮＦＴ関連仮想通貨は始まったばかりなので、今後主流になるのか、それとも、結局はイーサリアムだけがＮＦＴのブロックチェーンになっていくのかなど、誰にも分かりません。詐欺まがいのプロジェクトもあるので注意したいところです。

今なら、誰もがNFTビジネスを始めることができる！

一言でNFTといっても、デジタルアートのオリジナルの証明書という意味合いだけではないというのが分かっていただけたでしょうか。実にさまざまな分野に応用でき、紹介したもの以外にも、まだまだたくさんあります。シヤチハタがNFTを使った電子印鑑を開発[※35]、東京の寿司店「鮨 渡利」でのイベント参加チケットをNFTで販売[※36]、株式会社Urthの自己増殖する建築とNFTの組み合わせ[※37]、日本初のNFT美術館『NFT鳴門美術館』[※38]、株式会社ロマンテックジャパンのNFT所有者だけが見ることができる『VtuberARカード』[※39]など、毎日、NFTに関する新しい試みが出てきています。紹介したいのですが、あまりにも多すぎて内容を確認することもできていません。それぐらい、今は、NFT関係のニュースばかりになってきています。

そんなNFTビジネスは、まさにアイデア次第。さらに、今がチャンスなのは、法的な規制が何もない状態なので、誰でもすぐに始めることができます。金融庁も仮想通貨関係の事務ガイドライン改正案に寄せられたパブリックコメントで、次のように回答しています。

『例えば、ブロックチェーンに記録されたトレーディングカードやゲーム内アイテム等は、1号仮想通貨と相互に交換できる場合であっても、基本的には1号仮想通貨のような決済手段等の経済的機能を有していないと考えられますので、2号仮想通貨には該当しないと考えられます。』（2019年9月3日　仮想通貨関係の事務ガイドライン改正案に寄せられたパブリックコメントより）※40

つまり、NFTは、仮想通貨ではないので、資金決済法の範疇ではないと言っているのです。法律に縛られていないので、個人でもNFTのビジネスはすぐに始めることができます。

これは、まさにビットコインが出てきた頃とまったく同じ状況です。2014年頃は、仮想通貨は単なるゲームのポイント程度に考えられていたので、個人でも仮想通貨取引所を開くことができました。しかし、その後規模が大きくなり、また、マウントゴックス事件が起きたことで法律面が整えられました。その結果、今では金融庁に届け出をして認可されないと仮想通貨取引所を開設することはできません。

NFTもこれから金融庁がモニタリングを強化するような話も出てきていますし、事業者団体もガイドライン等を作り上げようとしています。長期的にはNFTも届け出や申請などが必要になるでしょうが、今なら実験的にどのようなことができるのか、どんなユーザ層が興味を持つのか、いろいろと試してみるには面白い時期です。

私の周囲でも、いろいろと面白いＮＦＴの事業が展開していて、守秘義務等があるので詳しくは書けませんが、宗教関係、文化財などのプロジェクトも進んでいます。ただし、安易になんでもかんでもＮＦＴに結びつけるのではなく、ＮＦＴだからという理由や意義をしっかりと組み立てないと、方向性がおかしくなってしまうので、その点はしっかりと計画したいところです。

もう一度、ビープル氏の75億円で落札された作品について考えてみる

ここまでＮＦＴのことを見てきましたが、もう一度、ビープル氏の75億円のデジタルアートについて考えてみたく思います。『Everydays: The First 5,000 Days』は、２００７年5月１日から1日1作品、５０００日続けてきたデジタルアート５０００枚の絵を1枚に貼り合わせたものです。２００８年がリーマンショックだったので、その前年から２０２１年1月まで、毎日、毎日、これからはデジタルアート作品が大きな意味を持つと信じて作成し続けるというこ

と自体、尋常ではありません。それだけの時間と労力と気力を考えれば、高額になるのも頷けます。その集大成として、デジタル絵画を5000枚貼り合わせて1枚にするというのは、デジタルでしかできません。物理的な絵で、5000枚も貼り合わせたら、巨大すぎて、展示することも難しくなります。この時点で、リアルなアートとは違う、デジタル作品だから実現できる価値になっています。

そこにNFTが登場したことで、オリジナルの1点であるという証明がつき、デジタル絵画の新しい価値を生み出しました。さらに、ブロックチェーンに記録されることで、何百年も先までビープル氏の名前と作品が残ります。このことが大きな意味を持つ、また、これだけ世界中の人が知る作品となったのですから、デジタルアートの美術史には外せない作品となっています。もし、これが油絵であれば、何百年もすると贋作も出てきて、どれが本物なのか区別するのが大変になっていきます。そもそも油絵が何百年後には、劣化してどうなっているか分かりません。

デジタルアートは、劣化することなく、NFTによって何百年先であっても誰の作品で、どれがオリジナルなのかを示してくれます。さらに誰の手を経て、今、どこにあるのかも記録されています。こうしたことから、デジタルアートの歴史の中で、『Everydays: The First 5,000

Days』という作品が大きな転換点となったことの意味は、時代が進むことで、ますます重要になり、価値も上がっていく可能性があります。

この作品では、ぜひ、落札者にも注目してほしいところがあります。当初、オークションを開催したクリスティーズの発表では『Metakovan（メタコバン）』という仮名で紹介されていたのですが、Vignesh Sundaresan（ウィグネシュ・スンダサン）氏が創設したNFTファンド『Metapurse（メタパース）』が落札者だとご本人が発表しました。このスンダサン氏は、インド南部タミル・ナードゥ州からの移民で、仮想通貨関連の事業を立ち上げて成功した人です。

今回落札したことについて、このように語っています。

「私たちは仮名のままでいられたかもしれないが、クリスティーズとの共同プレスリリースにいくつかのヒントを残すことにした。……重要なことは、インド人と有色人種に、自分たちもパトロンになることができることや、仮想通貨の世界では西側の国であろうとそれ以外の地域だろうと平等であり、世界の南側が興隆していることを示すことだった」[※41]

なぜインド出身のスンダサン氏にとって、デジタルアートとして5000日の集大成である作品を落札することが重要だったのか、西洋とインドの関係性など、そういう世界情勢や仮想通貨によって変わりつつある経済など、文化の中心の変化までも理解してこそ、意味が分かってくるのです。こういうことまで含めてアート作品を鑑賞することが、今の時代は重要になるのです。

また、彼はこの絵を将来、仮想空間に設立する美術館で展示したいとも語っています。その辺のことを知らない人が、「75億円で落札された後、誰の手にも渡っていないから売れないのでは？」と言っていますが、実際は、スンダサン氏は、手放すつもりがないというのが事実です。

ＮＦＴアートを入手する場合、あるいは、ＮＦＴアートを出品する場合は、ぜひ、広い視野で作品を眺め、その意義や解釈をあれこれと考えることをお勧めします。

まとめ

・契約書をプログラムで実行できるようにしたのが「スマートコントラクト」。
・「スマートコントラクト」で、転売されてもアーティストに売り上げの一部が自動的に支払われるようにできる。
・綿密に考えられた「ハッシュマスク」。アートそのもの、アートの命名権、アートの交換権を取り引きできるようにした。

・新しいＮＦＴの使い方は、ＮＦＴを焼却して手に入れる「バーナブルＮＦＴ」、現実世界のイベントと連動する「ダイナミックＮＦＴ」、複数のＮＦＴを組み合わせて新たな価値になる「コンポーザブルＮＦＴ」、一つのＮＦＴを分割できる「フラクショナルＮＦＴ」。

・「フラクショナルＮＦＴ」は法律に抵触することがあるので注意。

・イーサリアム以外のＮＦＴを作れるブロックチェーンが増えている。それに合わせてＮＦＴ関連仮想通貨も増えている。

・まだ法規制が何もないので、ＮＦＴビジネスを展開するには、かなり自由度が大きい。

・ビープル氏の作品が75億円で落札された背景には、インド出身の成功者がデジタルアートを落札し、世界の潮流が、西洋からアジアになってきたという歴史的意味も大きい。

コラム5

NFTの電力消費は地球に優しくない？

ビットコインのブロックチェーンには、10分ごとに新しくブロックが追加されます。そのブロックには、世界中で行われているビットコインの取引履歴が記録され、改ざんされないように組み込まれていきます。

この10分ごとに追加する作業は、マイナーと呼ばれる人たちが、コンピュータを使って計算し、その計算をいち早く行った人に報酬としてビットコインが自動的に支払われるようになっています。この仕組みを「Proof of Work（プルーフ・オブ・ワーク、PoW）」といい、1番最初に計算するために、多くの人が競争している状態です。

言い換えれば、2番以下に計算した人たちは何も結果を残さないので、その計算に使ったコンピュータの電力が無駄になっているとも言えます。そこにフォーカスすれば、電気を無駄に使って、地球環境に優しくない、仮想通貨はエコではないということになり、反対している人たちもいます。その影響で、ブロックチェーンを利用するNFTに関しても、エコではない仕組みだと言われるようになってきました。

確かに、そういう考え方もあるのですが、ではブロックチェーンを使わずに、同じような仕組みを作った場合にはどのようになるでしょうか。

比較として分かりやすいのは金融機関のデータセンターです。銀行口座の入手金などを記録するために巨大なデータセンターが作られ、また、セキュリティのためにさまざまな工夫がされています。もちろんバックアップも必要ですし、地震や火災などでデータが失われないように複数の場所にバックアップを作り、停電に備えて自家発電設備なども準備します。それを運用するために専門のエンジニアが必要で、その人たちを育成する教育コストなども掛かってきます。24時間365日稼働し続けるシステムを維持するために働く人数も少なくありません。

これらをトータルで考えた場合、電気代や設備の構築、人件費など、どういう基準で比較するかによって、エコかどうかが変わってきます。

また、ビットコインのマイナーと呼ばれる人たちもビジネスで行っているので、マイニングで得られるビットコインよりも電気料金が高ければ、赤字になってしまいます。より安い電気料金になるように、自前で水力発電所や風力発電所を作っているケースもあります。わざわざ高い電気を使うマイナーはいないので、無駄に電気を消費しているわけではありません。

さらに言えば、マイニングという競争（1番先に計算した人に報酬が支払われるという競争）をすることで、ブロックチェーンのデータが世界中に分散し、改ざんが行われないということになっています。結果、無駄に計算が終わっているのではなく、全て必要なコンピュータの働きでもあるのです。

また、電気は溜めておくのが難しいエネルギーで、蓄電池などを使っても効率が悪く、いい解決策が見つかっていません。効率のいい蓄電池を作るにはレアメタルなども必要で高額な投資になり、それは電気料金に跳ね返ってきます。溜めることができていないとなると、今使っている電気は、今発電している電気なので、消費電力の少ない夜間の発電量を減らし、逆に、昼間の電力消費が多い時間には多くの発電を行うという調整を行っています。どうしても夜間は発電した電気が余ってしまうので、夜間の電気料金は安く設定されているのです。

ところが、この調整が、簡単ではありません。風力発電や太陽光発電などの自然エネルギーに頼る発電は、そもそもコントロールできないので、人間の手で調整できる発電所で全体の電力消費を予測しながら調整するしかありません。原子力発電は、発電量を調整することが難しく、一定量の発電を安定して行うのに向いています。水力発電は、発電量を減らすことはできても、増やすことは河川やダムの水量以上にはできません。結局、コントロールできるのは火力発電になり、しかも、他の発電所の変動（特に自然エネルギーでの変動）と、消費電力の予測を考慮して常に火力発電の調整を行っています。

このような調整を少しでも安定させるために、夜になっている国の電力を使ってマイニングを行うような体制を作れば、無駄な電力が減るということも考えられるでしょう。せっかく、インターネットでつながっているのですから、順番に夜になって電力消費が落ちた国で行えば、全体としては効率のいいブロックチェーンの利用になることでしょう。

とはいえ、「ＰｏＷ」でのマイニングは、仮想通貨の交換レート、特に、ビットコインの交換レートが高くなるにつれ、競争が激化し、消費電力が増えるのは間違いありません。専門家によっては、ビットコインの交換レートは、世界中で消費した電気代金で決まると言っている人もいるぐらいです。こういう事態を改善すべく、最近は、「ＰｏＷ」ではない計算方法も考えられています。例えば、イーサリアムは、「ＰｏＷ」から、「Proof Of Stake（プルーフ・オブ・ステーク、ＰｏＳ）」という方式に転換を始めています。「ＰｏＳ」は、仮想通貨の保有量や保有している期間が長い場合には、計算する権利が与えられるというもの。言い換えれば、仮想通貨を多く、長く持っているほど、計算による報酬を得られるので、多くのお金を長く預けるほど利子も増えるのと似ています。これによって、過激な計算競争を防ごうとしています。ちなみに、イーサリアムが「ＰｏＳ」に移行完了すれば、99・95％の電力量を削減できるという試算もあります。[※42]

このように、単純に、仮想通貨やブロックチェーンが電力の無駄遣いをしていると決めつけるのは、物事の一面しか見ていないことだと思います。エネルギー供給は、さまざまな仕組みが複雑に絡み合っているので、ぜひ、視野を広くして確認したいところです。

第４章　ＮＦＴマーケットプレイスの紹介

ＮＦＴマーケットプレイスの規模や売買されている金額はどれほどになるのか？

「はじめに」でも書いたように、一時期はバブルの様相を見せていたＮＦＴの売買ですが、現状は少し落ち着きつつあります。ＮＦＴなどの市場データを提供している「DappRadar（ダップレーダー）」によると、ＮＦＴ全体の売上高は、２０２１年第１四半期が約１３６０億円、続く第２四半期が約１３７０億円で、バブルのような上昇トレンドではないことが分かります。

マーケットプレイスの変動についても、それまでは、「オープンシー」での大きな金額の取引が目立っていたのですが、対戦型カードゲームの『アクシー・インフィニティー』の売上高が、「オープンシー」を上回る月もあります。

このような動向を知っておくのもNFT市場を知る上では重要なので、情報源を紹介しておきましょう。

・DappRadar（ダップレーダー）　https://dappradar.com/

日本語表示も可能な分散型アプリケーションのデータ収集サイト。表示されるNFTマーケットプレイスは30。他に、ブロックチェーン・ゲームなどのデータも収集しています。

・CoinMarketCap（コインマーケットキャップ）　https://coinmarketcap.com/ja/

仮想通貨全体のさまざまな市場データを収集している代表的なサイト。仮想通貨のトレードをやっている人は、必ず見ているほど広く知られています。一部のメニューは、日本語表示もあり、NFT市場が大きくなったのでNFTという分類が新たに作られました。NFTマーケットとしては350がリストに上がっています。

・CryptSlam（クリプトスラム）　https://cryptoslam.io/

NFTマーケットプレイスだけでなく、ファントークンのデータも収集しているサイト。これから注目されるファントークンは、サッカーチームや野球チームなどを応援するためにファンが購入する仮想通貨の1種です。ファントークンとして分類して表示しているところは少ないので、貴重なサイトです。

DappRadar（ダップレーダー）

CoinMarketCap（コインマーケットキャップ）

CryptSlam（クリプトスラム）

・NonFungible（ノンファンジブル）　https://nonfungible.com/

ノンファンジブルと名乗っているだけあって、NFTに関するマーケット情報を広く収集しています。日本語には対応していないのですが、日々のNFTに関連するニュースを配信していたり、定期的にNFT市場のレポートを発行したりしています。メールアドレス登録でダウンロードできるので、興味があれば読んでみるといいでしょう。

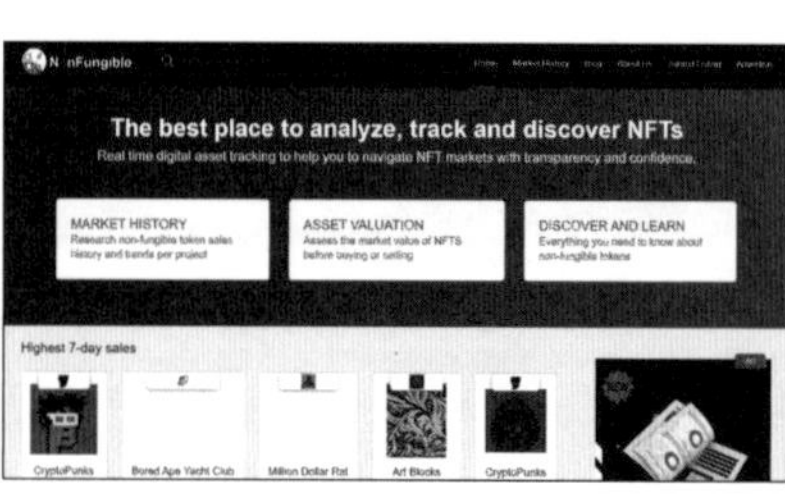

NonFungible（ノンファンジブル）

さて、次からは、代表的なNFTマーケットプレイスの紹介と、マーケットプレイスで購入するとき、出品するときの注意点について考えたいと思います。なお、NFTマーケットプレイスは、日々、新しいところが開設していて、運用ルールなども変更されていくので、利用する場合は、それぞれのサービスに記載されている利用規約等をよく読んでください。

NFTマーケットプレイスの老舗「オープンシー」

https://opensea.io/

「OpenSea（オープンシー）」は、2017年からサービスを開始した老舗のNFTマーケットプレイスです。NFTの規格である「ERC721」が定められたのが2017年なので、なかなか目のつけどころがすごいです。もっとも、数年間は、NFTマーケットといってもほとんど知られていないですし、鳴かず飛ばずでしたが、今や、NFTマーケットプレイスといえば「オープンシー」と言われるぐらい世界中で知られています。

老舗だけあって、出品点数も取引高も他のマーケットプレイスを引き離しています。取り扱うNFTも、アート、音楽、仮想空間の土地、ドメイン、トレーディングカードなど、実にさまざま。また、この出品数を多くしている要因として、出品者は最初に登録料のみ支払えば、それ以降は何点出品してもNFT化するためのガス代（手数料）はかからない仕組みがあります（ちなみに、ガス代は購入者が負担し

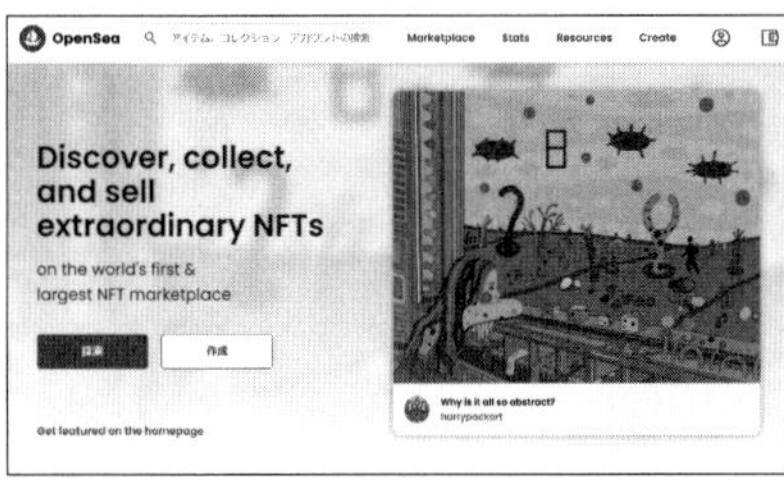

OpenSea（オープンシー）

ます)。

取り扱っている仮想通貨は、イーサリアム、ポリゴン、クレイトン、テゾスなど、多くの仮想通貨に対応しています。このことも、出品者が多くなっている理由です。

独自仮想通貨ラリを発行している「ラリブル」

https://rarible.com/

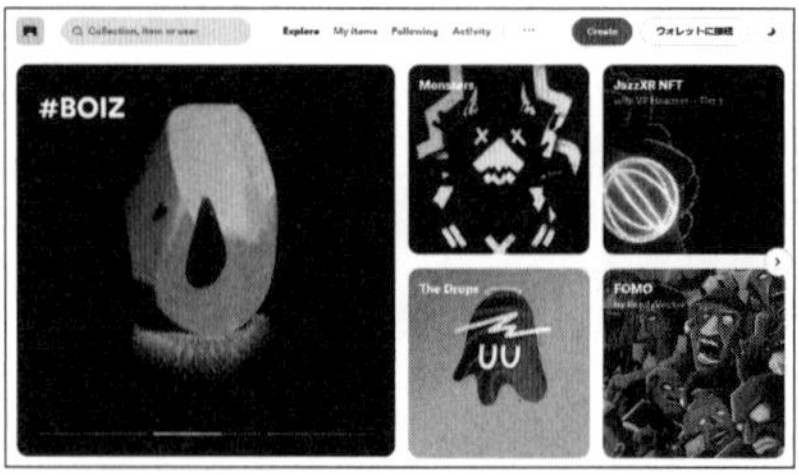

Rarible(ラリブル)

「Rarible(ラリブル)」は、2019年11月からサービスを開始しているNFTマーケットプレイスです。デジタルアート作品がメインですが、最近は、短い動画なども扱えるようになっています。「オープンシー」の次に取引量の多いマーケットプレイスです。

「ラリブル」の面白いところは、独自の仮想通貨「Rari(ラリ)」を発行していて、「ラリブル」で出品したり購入したりすると、「ラリ」が手に入ります。「ラリ」は、「ラリブル」の運営に参加するために使う仮想通貨で、運営上の投票を行うことができます。このように利用者とともに育てていこうという姿勢が「ラリブル」にはあるのが他のマーケットプレイスと異なるところです。
利用できる仮想通貨は、イーサリアムとラップド・イーサリアムになります。

出品を審査する「ニフティ・ゲートウェイ」

https://niftygateway.com/

「NiftyGateway（ニフティ・ゲートウェイ）」は、２０１８年からアメリカのサンフランシスコで始まったＮＦＴマーケットプレイスです。２０１９年11月には、ウィンクルボス兄弟のGemini社の子会社になりました。ウィンクルボス兄弟は、Facebook創業者のマーク・ザッカーバーグにアイデアを盗まれたと訴訟を起こしたことでも有名です。そこで得た賠償金でビットコインを購入し、その資金で会社を作っています。

「ニフティ・ゲートウェイ」は審査を行うので、レベルの高いＮＦＴアートが出品されています。審査がかなり厳しいと言われていて、著作権違反の作品はないそうです。そういう意味では、アート作品を購入するには安心かもしれません。ただし、作品のレベルは高いので、値段も高額になっています。また、購入にクレジットカードが使えるのも大きな特徴です。

2次流通の10%がアーティストに還元される「スーパーレア」

https://superrare.com/

「SuperRare（スーパーレア）」は、2018年にリリースされたNFTマーケットプレイスで、2次流通の売り上げ10%をアーティストに還元する仕組みになっています。アート作品に特化し、さらに審査を行っているので、作品に自信のあるアーティストが出品しています。扱っている商品点数は多くはないですが、クオリティの高い作品が出品されています。

利用できる仮想通貨はイーサリアムになります。

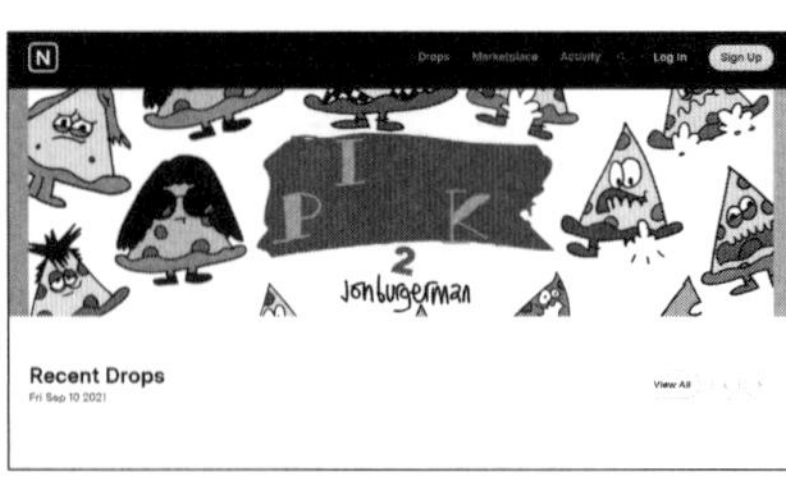

NiftyGateway（ニフティ・ゲートウェイ）

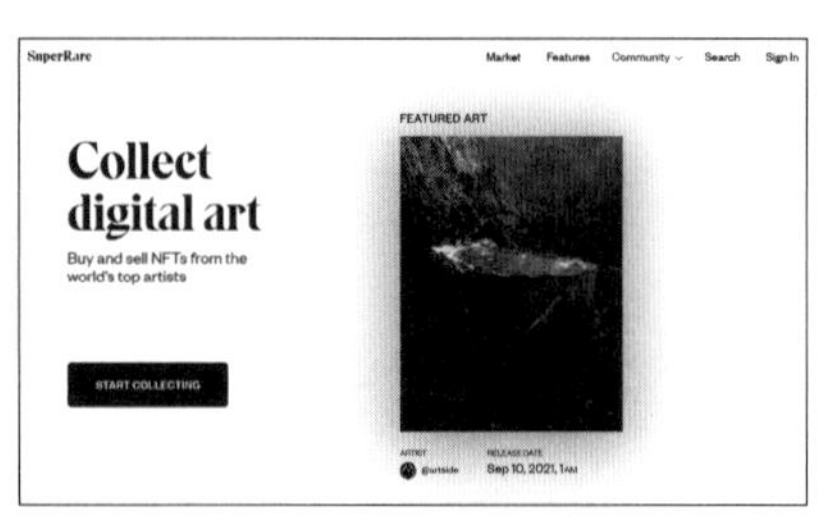

SuperRare（スーパーレア）

非中央集権で自動化を目指す「ザナリア」

https://xanalia.com/

「XANALIA（ザナリア）」は、2021年3月にローンチ（立ち上げ）した新しいNFTマーケットプレイスで、取引の運営などもプログラムで分散型の自動化を実現しようとしています。日本マーケティングリサーチ機構がNFT・次世代バーチャルSNSについて行なったインターネット調査（2021年4月）で「期待のNFTマーケットプレイス　No.1」など三冠を獲得し、「ダップス・コム」の情報によるとローンチした4か月後には、世界取引高ランキング8位[※43]にまで急成長しています。

また、『ミラノファッションウィーク2021』内で展開されるバーチャルファッションショーのNFT化や葛飾北斎『富嶽三十六景』のNFTアートも出品されていて、今後の広がりが期待されています。

扱っている仮想通貨は、バイナンススマートチェーン、ポリゴン、そしてクレジットカードにも対応しています。

XANALIA（ザナリア）

日本初のアーティスト登録制で運営する「nanakusa」

https://nanakusa.io/

「nanakusa（ナナクサ）」は、２０２１年4月に正式リリースしたアーティスト登録制のマーケットプレイスです。誰でも自由に出品できるわけではなくアーティストとしての活動を審査するので、購入者としては安心して買うことができます。

ＮＦＴアートの閲覧制限の機能もあり、購入した人しか読むことができない電子書籍といったものも出品できます。こういう機能は、今後注目されるかもしれません。

扱っている仮想通貨は、イーサリアムとポリゴンになります。

仮想通貨取引所が運営している「コインチェックNFT（β）」

https://coincheck.com/ja/article/458

仮想通貨取引所のCoincheck（コインチェック）が運営する「Coincheck ＮＦＴ（β）（コインチェックＮＦＴベータ）」は、『CryptoSpells（クリプト・スペルズ）』や『The Sandbox（ザ・サンドボックス）』といったブロックチェーン・ゲームのＮＦＴアイテムを売買することができます。２０２１年

3月にリリースされ、取引所が運営するという安心感から、たった1週間で1万2千人のユーザ登録がありました。

購入時にガス代（手数料）がかからないというのも特徴です。ただし、他の場所へNFTを移動する場合には、手数料がかかるので注意が必要です。

取引所が運営しているだけあって、扱える仮想通貨が多く、10種類以上に対応しています。

nanakusa（ナナクサ）

CoincheckNFT（β）（コインチェックNFTベータ）

主要なマーケットプレイスの特徴と扱える仮想通貨

OpenSea https://opensea.io/

特　　徴：2017年からだが老舗。出品数取引量ともに世界で最も多い。
扱える仮想通貨：イーサリアム、ポリゴン、クレイトン、テゾスなど

Rarible https://rarible.com/

特　　徴：独自通貨ラリで運営にも参加できる。アート作品がメイン。
扱える仮想通貨：イーサリアム、ラップド・イーサリアム

NiftyGateway https://niftygateway.com/

特　　徴：出品時の審査が厳しいので、クオリティの高い作品が多い。
扱える仮想通貨：イーサリアム、クレジットカード

SuperRare https://superrare.com/

特　　徴：アート作品に特化。2次流通の10%をアーティストに還元。
扱える仮想通貨：イーサリアム

XANALIA https://xanalia.com/

特　　徴：分散型で自動化を目指している次世代マーケットプレイス。急速に人気が高まっている。
扱える仮想通貨：バイナンススマートチェーン、ポリゴン、クレジットカード

nanakusa https://nanakusa.io/

特　　徴：アーティスト登録制のアート作品に特化。購入した人しか閲覧できない制限機能もあり。
扱える仮想通貨：イーサリアム、ポリゴン

Coincheck NFT(β) https://coincheck.com/ja/article/458

特　　徴：仮想通貨取引所Coincheckが運営。ゲーム・アイテムがメイン。購入時のガス代不要。
扱える仮想通貨：イーサリアム、ビットコインなど10種類以上

コラム6

お金とアートとデザインと

アートとデザインの違いは、なんとなく分かっているようで、説明しようとすると言葉の選び方に困ってしまいます。アーティストと称する人でも、製品のパッケージのデザインをしていたり、デザイナーと称する人たちがアート作品と思うような製品を手掛けていることもあります。外から見ていると、何が違うのかよく分かりません。最近は、仕事のプロセスなどもデザインと表現したり、所作や振る舞いにアートの要素を求めたり、だんだん解釈が拡張されているように思います。

では、改めて考えてみましょう。まず、アートは、何かの想いや価値観を表現していて、受け取る側にインパクトを与えるものになっています。アーティストが伝えたい何かがあり、受け手（鑑賞者）は、アート作品から何らかのメッセージや哲学や内面の想いなどを解釈します。明確な答えがあるわけではなく、なかには作者が受け手に問うている作品もあり、時代によっても解釈が変化します。

デザインの場合は、何か課題があって、それを解決する、受け手に何かを提供する仕組みになっています。家電のデザインが分かりやすいと思いますが、スイッチの位置や形、電源がオンのときのランプ色など、受け手側が誤って理解しないように誰でも同じメッセージが伝わるように作られています。

このように、アートは、受け手によって解釈が変わり意味が変わることがあるのですが、デザインは、誰であっても同じように解釈できるようになっています。この点が大きな違いでしょう。

さて、ここに価値という物差しであるお金で考えてみると、アートは何十億円というような価値を生み出すことがあるのですが、デザインは、デザインそのものの価値というよりも、製品なりサービスなりの価格があってそこに含まれています。

日本では、アートよりもデザインにお金を払うことが多いようで、世界のアート市場では、たった3％しか日本の市場はありません。一方のデザインで考えた場合、日本の工業製品は日本国内でも高級家電があり、海外にも多く輸出されています。アートではなく、デザインにお金が使われているのですね。

ただ、この傾向は、アニメコンテンツで少しずつ変化をしています。アニメはデザインよりもアート寄りなので、アート作品として意識をすべきだと思います。この意識改革ができるかどうかで、海外でアートとしてアニメを販売するのか、デザインとしてアニメを販売するかで、相手にする市場の桁が違ってきます。セル画1枚を販売するのでも、アートかデザインかでゼロの数が違ってくるのです。

ＮＦＴによって、世界のアート愛好家に近づける環境が整ってきている今、日本は、アートを理解できる国になるのか、それとも、これまで通りのデザインを軸にする国のままなのかで、5年先、10年先の経済が変わります。ＮＦＴはデザインではなく、アートとしての価値を高めるものなので、アート作品としてどのように海外に打って出ることができるのか見ていきたいですね。

ＮＦＴマーケットプレイスで購入するときには、条件をよく確認すること

ＮＦＴマーケットプレイスでＮＦＴアートなどを購入するときには、何に注意すべきだと思いますか。面倒でも必ず細かく読んでほしいのが、売買条件です。所有権を売っているのは、その通りなのですが、何に対する所有権なのかは細かくチェックしてください。また、転売する上での条件や、禁止事項は何があるのかなど確認しましょう。高くなって転売しようとしたら、いろいろ条件があったとか、期限つきの所有権だったとか、何が設定されているかは分からないのです。まだまだ、手探り状態のＮＦＴマーケットプレイスですが、今後、市場が大きくなってくると、いろいろと変なことを考える人たちもでてくるので、要注意。

言うまでもありませんが、ＮＦＴマーケットプレイスでのＩＤやパスワード、「メタマスク」で接続するなら、そのＩＤ、パスワード、秘密のフレーズなどは、絶対に忘れないようにメモしておきましょう。これを忘れてしまったら、購入したＮＦＴアートを転売することはできなくなります。これらの情報はマーケットプレイスの運営会社にも分からないので、必ずメモして保存しておいてください。

ＮＦＴって出品すれば売れると思っていませんか？

ＮＦＴで出品しようとしている人から受けるよくある質問の一つが、「ＮＦＴって、出品すれば、売れますよね？」。答えは、「売れるわけがありません」。

ＮＦＴにすれば、何でも売れるなんてありえません。２０２０年であれば、まだまだ出品数が少なかったので、そういうこともあったかもしれませんが、今は、次々と新しいＮＦＴマーケットプレイスがオープンし、毎日、世界中で数えきれないほどの作品が出品されています。そんなところに無名の人が出品したところで、見向きもされないどころか、出品されたことすら誰も気がつかないでしょう。「ユーチューブ」で動画をアップしても、再生回数がぜんぜん増えないことと同じです。

マーケットプレイスでも「ニフティ・ゲートウェイ」や「nanakusa」のように、審査があるところであれば、見てくれる人もいるでしょう。しかし、そもそも、審査に通るほどの作品が作れるのであれば、ファンもいるでしょうし、これまでの実績もあると思います。

勘違いしている人が多いのですが、ＮＦＴマーケットプレイスは集客をしてくれません。あくまでも出品する場所を提供しているだけであって、販売の手伝いはしません。出品者が売るための努力をする必要があります。

いくらアーティストだからといっても、マーケティングの基本的なことは勉強しておく必要があります。ファンを作り、ファンに向けて情報発信し、関係性をしっかり作って購入してもらうのは、ＮＦＴであっても基本です。

そのデジタルデータ、本物ですか？

この章の最後に、ＮＦＴマーケットプレイスでのリスクについて、いくつか説明しておきたいと思います。購入する場合でも、出品する場合でも重要なことなので、しっかりと理解しておいてください。

ＮＦＴは非常に面白い技術で、コピーしてもオリジナルと寸分たがわないデジタルの世界に、「オリジナル」を指し示す方法を提示しました。そして、ブロックチェーンに記録されることで、１００年先、２００年先でも、誰の作品なのか、どれがオリジナルなのか、そして、誰の手を経てきたのかが分かるようになっています。

非常に画期的なことではあるのですが、手放しで喜ぶわけにはいきません。細かく見ていくと、いろいろと課題はあるのです。多くの人が勘違いしていることも含めて整理しておきたいと思います。

まず大きな点は、ＮＦＴはオリジナルがどこにあるのかを示しているのですが、そもそものデータが「本物」とは限らないということ。

ＮＦＴマーケットプレイスでは、誰でも作品を登録することができます。さらに、現時点では、本人確認などありません。そう、誰かの作品をコピーして、自分の作品だと偽って登録することが可能なのです。何度も書いていますが、デジタルなので、コピーしてもそれ自体はオリジナルとなんら変わりはしません。リアルの油絵や彫刻と違って、作品をいくらチェックしても区別できないのです。そうなると、結局は登録情報を信じるしかありません。

老舗のオークションハウスであるサザビーズやクリスティーズは、偽物（贋作）を間違って出品してしまったら信用を落としてしまいますので、作品に対しては慎重に確認を行います。オークションだけでなく、ギャラリーなども同じです。だからこそ、アーティストを確認し、どういう経緯でここにあるかなど細かく調べます。

ＮＦＴマーケットプレイスは、老舗の「オープンシー」ですら２０１７年に始まったばかり。

その「オープンシー」も、アート業界から出てきたというよりも、仮想通貨の延長線上のブロックチェーン技術を持つＩＴ企業です。この辺が、登録時の問題を残したままになってしまっていると思われます。最近は、ＮＦＴマーケットプレイスの中でも、作品登録時に審査を行うところも出てきていますが、圧倒的大多数は審査など行っていません。

おそらく、今後は登録時に本人確認など、今の仮想通貨取引所のような手続きが必要になってくるのではないかと思います。

オリジナルデータが紛失する？

ＮＦＴは、アート作品のオリジナルデータがどこにあるのかを指し示しています。ＮＦＴマーケットプレイスにアート作品は表示されていますが、そのデータはマーケットプレイスに置いてあるのであって、ブロックチェーンやＮＦＴには保存されていません。リアルのアート作品でも作品と鑑定書は別になっているのと同じで、デジタルアートのデータと証明書のＮＦＴは別物なのです。ＮＦＴは、ブロックチェーンで１００年先でも２００年先でも、記録を見ることはできますが、そのＮＦＴが指し示している場所に１００年後、２００年後もマーケットプレイスは存在しているでしょうか。

これを解決する一つのアイデアとして、「IPFS（InterPlanetary File System、次世代のＷｅｂメディア・ファイル管理システムのこと）」と呼ばれるブロックチェーンのように、あちこちのコンピュータに分散して保存する仕組みが考えられています。この仕組みが広がっていけば、マーケットプレイスとは関係なくデジタルデータを保存し続けることができるかもしれません。ただ、この場合、ブロックチェーンよりも桁違いに大きなデータを扱うことになるので、それだけ大量のデータを扱うだけのディスクがネット上に存在するのかという問題や、インターネット上を大きなデータが流れ続けるので、それに回線容量は耐えられるのかなど、まだまだ未知数のところがあります。

デジタルデータの所有権は法律では定められていない

デジタルアートのオリジナルがあって、ＮＦＴでは所有権を売買していると説明してきました。確かに、理屈の上ではそうなのですが、法律上で考えると、「デジタルの所有権」というものは認められていません。正しくは、所有権というのは、車や家、土地、衣服など「有体物」

にのみ存在する権利で、デジタルデータのような「無体物」には認められていないのです。

では、まったく意味がないのかというと、そうではありません。仮想通貨を払って売買取引を行っているのですから、ここは売買契約にきちんと何を譲渡しているのか、何は渡していないのかを明確にしておく必要があります。また、細かい点ですが、転売されたときは、そのときの売買契約では、アーティストは当事者ではなくなります。転売するときの条件なども細かく決めて、こういう条件なら転売可能といったことも明記しておくことが重要です。

ＮＦＴアイテムを出品しているアーティストたちも、この辺に関しては非常に意見が分かれるところであり、例えば村上隆氏は、一度、「オープンシー」に出品したのに、取り下げると決定したことがありました。[※44] その経緯を見てみると、当初、『108 Earthly Temptations』という作品を出品し、２０２１年4月7日から5日間のオークションを行うはずでした。しかし、オークションが終了する前に出品を取り消し、お詫びの文章を村上氏のインスタグラムにアップしたのです。この中で村上氏は、次のように書いています。

『ＮＦＴの長所を生かし、コレクター／オーナーの皆様の利便性、作品所有の満足度や安心感を最大化するためには「作品のコンセプトを踏まえ、ＥＲＣ７２１や１１５５のメリットとデメリットを考慮した選択」「独自のスマートコントラクトの要否」「独自ストアフロント構築の要否」「IPFSの要否」その他、さまざまなテーマに対して慎重な検討と議論を重ねて、より最適な形式でNFTをご提供して行くのが良いだろうと考えました。』

（村上氏のインスタグラムより）

難しい用語が並んでいるのですが、もう少し分かりやすく説明しましょう。

「ERC721や1155のメリットとデメリット」というのは、NFTマーケットプレイスでの取り引きの手順の違いです。簡単に言うと、「ERC721」は、NFTアイテムを一つずつ取り引きする方法で、「ERC1155」は複数のNFTアイテムを1回で取り引きできます。マーケットプレイスによって違うので、どちらの手順の方が、購入者やアーティストにとっていいのか検討が必要だと言っています。

「独自のスマートコントラクト」というのは、NFTマーケットプレイスの売買契約ではなく、独自に取引内容を決めるという意味です。そして、その独自の取引内容に沿った「スマートコントラクト」としてプログラムを作り、ブロックチェーンに組み込むということです。当たり前ですが、マーケットプレイスで販売すると、マーケットプレイスが定めた取引契約に従うことになります。その規約の中に、購入者やアーティストにとって不利になることはないのか、しっかり検討すべきだと言っています。

「独自ストアフロント」というのは、ＮＦＴマーケットプレイスそのものを独自で作った方がいいのではないかという話になります。先の「スマートコントラクト」と関係しますが、独自の取引契約をするなら、マーケットプレイス自体も自社で運営することになりますからね。

最後の「IPFS」は、この章の「オリジナルデータが紛失する？」で説明した通り、オリジナルデータが消えてなくならないように、インターネット上の分散ストレージに保存することを言っています。万が一、マーケットプレイスがサービスを停止したら、マーケットプレイスに保存されているデータが消えることになるので、他に移す方法があるのか、それとも、「IPFS」を使うべきなのか検討が必要ということですね。これは、本当に難しい問題です。１００年先、２００年先まで鑑賞されるアート作品を考えた場合には、どれがベストなのか、なかなか結論を出せません。

このように、デジタル作品の取引方法や、ＮＦＴの技術的要素を照らし合わせると、購入者に適切にアート作品の所有権を渡せるのかどうか、村上隆作品のコンセプトや提供方法としてＮＦＴが合っているのかどうか判断できなかったようです。法的な根拠も、弁護士の方々と打ち合わせを重ねてきたそうですが、検討事項が多方面にわたるためにすべてをクリアにするのはなかなか大変なようです。

デジタル化が進んでいる中で、法律が追いついていません。仮想通貨ですら、法律はあっても、まだまだはっきりしていないところがあったり、解釈が変わったりしている状況です。新しく出てきたＮＦＴは、調査研究段階です。法律で定められるまで、何を売買しているのかは明確にはならないのですが、売買契約として細かく明記することは大切です。購入する側からは、面倒でもきちんと売買条件を読んでおくことです。

まとめ

・老舗の「オープンシー」は、出品数も取引額も一番大きい。出品するときのガス代がかからない。さまざまなＮＦＴを扱っている。
・独自通貨ラリを発行する「ラリブル」は、運営にも参加できるユニークなマーケットプレイス。

・審査がある「ニフティ・ゲートウェイ」。作品のクオリティは高い。クレジットカードが使える。
・非中央集権で自動化を目指す「ザナリア」。
・日本初の審査をしている「nanakusa」。購入した人だけが閲覧できるような仕組みもある。
・NFTマーケットプレイスで購入する場合は、条件など細かいところをしっかりチェックすること。
・出品する場合は、出せば売れるような時期は過ぎ去っているので、しっかりとマーケティングが必要。
・NFTマーケットプレイスのリスクは、出品されたものが本物なのか審査されていないケースが多い。
・マーケットプレイスがなくなると、オリジナルデータが消えるということも。
・デジタルデータの所有権は、法律では認められていない。
・NFTの課題は、登録時の確認がないので偽物や他人の作品を登録できる。
・マーケットプレイスにアップしている本物データが消える可能性がある。

コラム 7

NFTマーケットプレイスは安全か?

当初、なんでも扱うNFTマーケットプレイスから、最近は、アート作品、アニメなどジャンルを特化したマーケットプレイスが増えてきています。こういうのを見ていると、ビットコインが急速に広まりだした頃と同じ状況になっていて、気になるのはそれぞれの安全性。

この原稿を書いているときにも、NFTマーケットの老舗「オープンシー」で、NFTアイテム1100万円分がプログラムのミスによって「焼却」されてしまいました。[※45]「オープンシー」にドメインネームを出品したところ、出品用のアドレスに送信されるのではなく、「焼却」アドレスへ送信。焼却アドレスというのは、誰のものでもない、そして、誰も取り出せないアドレスになっていて、ここに送信されるとそれ以降、所有者の変更ができなくなります。その結果、売買できなくなるので、「焼却」という表現をしています。

実は、「オープンシー」は、2019年9月にドメインネームのオークションプログラムにミスがあり、最高額でない人物に所有権が移ってしまうという事件がありました。[※46] 当時は、まだNFTは一部の人にしか知られていなかったことや、入手した人が返却したこともあって、特に大きな騒ぎにはなりませんでした。

日本の「nanakusa」も、この記事を書いている最中にハッキングに遭い、NFTアイテムが盗まれるという事件が起きています。[※47] こちらも、NFTアイテムはすべて返却されたのですが、今後、どのように対策するのかが注目されています。

このように、NFTマーケットプレイスは、まだまだ新しいサービスで、思ってもいないような落とし穴が存在します。かつてビットコインでも、2014年に「Mt.Gox（マウントゴックス）事件[※48]」があってから大きく変化していきました。「マウントゴックス」とは、渋谷にあったビットコイン交換業者の名前で、一時期は世界の7割ものビットコイン取り引きを行う巨大取引所でした。ところが、そのマウントゴックスから当時の交換レートで470億円ものビットコインが盗まれて大事件となりました。マウントゴックスは、世界規模のサービスを展開していたにも関わらず、セキュリティが甘かったことや、どんぶり勘定の経営をやっていたことも明るみに出て大騒ぎに。テレビでは、世界中からマウントゴックス利用者が渋谷のオフィスの前に集まって抗議する様子も放送されていました。この事件があってから、仮想通貨に関しての法規制やガイドラインが定められ、利用者が注意すべきことも分かってきました。

ＮＦＴマーケットプレイスも、今後は、運用のガイドラインや法的な規制によって安全性も向上すると思います。しばらくの間は、大きな金額のＮＦＴアイテムを売買するには、こういったリスクもあると承知した上で利用するのがよさそうです。

第５章　５ＧやＩｏＴまで巻き込んだ未来のＮＦＴビジネス

たった10年で世の中は激変する

前章までは、今起きているＮＦＴの動向について、かなり広く見てきました。日々変化しているので、執筆中にも次々と新しい話が舞い込んできて、追加したり修正したり、追いかけるのが大変でした。この章では今ではなく、３年先、５年先といった、ＮＦＴが広まってきた世界について考えてみましょう。まるでＳＦのような話も出てきますが、それが目の前の未来かもしれないのです。

アップルがアイフォーンを発表したのが２００７年。その10年後の２０１７年には、スマートフォンの普及率は70％を超えています。たった10年で７割以上の人がスマートフォンを使っているのです。ビットコインのサトシ・ナカモトの論文が出てきたのが２００８年。その10年後の２０１８年には、ビットコインを支える技術であるブロックチェーンの市場規模は３００億円を超えました。ＮＦＴが出てきたのは、２０１７年。では10年後の２０２７年、どうなっているのでしょう。

まず、ＮＦＴが広がるのとともに、密接に関わってくる二つの技術についても知っておいてください。

一つ目は、「DApps（ダップス）」で、ブロックチェーンを応用したアプリケーションのことです。ブロックチェーン・ゲームも、「ダップス」です。この技術によって、ブロックチェーンに記録しつつ、さまざまなことができるようになります。ＮＦＴと合わせると、あるゲームで手に入れたＮＦＴアイテムを別のゲームに持って行って使うことも可能になります。将来は、ＮＦＴアートを仮想空間の展示会場に貸し出すといったときには、「ダップス」を使って行うようになっているでしょう。

二つ目は、「Defi（ディーファイ、デファイとも言う）」という技術で、分散型金融のことです。簡単に言うと、お金の貸し借りを自動的にプログラムで行おうという仕組みです。仮想通貨の「スマートコントラクト」が使われていて、これまでは、銀行などが行っていたお金の貸し借りをプログラムで自動化し、さらに分散型にすることで、誰も管理しなくても自動で運営するようになります。これがＮＦＴと組み合わさると、所有しているＮＦＴアートを担保にして、ビットコインを借りるといったことが人を介さずにできるようになります。

ＮＦＴは、これら二つの技術と一緒に使われるようになっていき、いろいろなところで目にすることになるでしょう。こうしたブロックチェーンを基本に他の技術と組み合わさっていくと、これまでとまったく違う分野に応用できるようになり、一気に世の中が変化していくのです。

それと大きなトレンドとして、世の中は分散型に向かっています。これまでは中央集権で、巨大なコンピュータやデータベースを用意して、そこですべてを管理しようとしました。しかし、そろそろ限界に近づきつつあり、また災害などへの対策を考えると、一か所に集中させるよりも、分散した方がリスクを少なくできます。

こういったトレンドがあることを分かった上で、３年先、５年先がどうなっていくのか想像することが重要です。

「ハッシュマスク」のモデルを応用すると何が起きる？

「ハッシュマスク」のプロジェクトは、多くの人が興味を持ち、コミュニティを形成し、話題を続けられるように実にうまく考えられています。第3章でも説明したのですが、簡単におさらいしておきましょう。多くの作品を持ちながら、それを少しずつ販売できることがベースにあります。さらに、ＮＦＴアートを所持しているだけでも、名前をつける権利と交換できるコインが毎日発行され、また、絵に飽きたら返却することで新たな絵と交換するコインが手に入ります。もちろん、アート自体もポップなもので目を惹くデジタル絵画になっており、すべてマスクをした人物の上半身というコレクションとして集めたくなる要素、比較することで好みなども分かりやすいといった要素もあります。

このプロジェクトをヒントに、地域振興ということを考えてみると、いろいろとアイデアが出てきます。地方自治体は今、財政難で苦しんでいます。地域の商店街を活性化しようと地域振興券を配ったり、ふるさと納税で特産品を出すのに躍起になったり、売るモノがないかと歩道橋の名前をつける権利までも売り出しています。

一つひとつをバラバラにやっていると、どこも同じように見えてしまい、目を惹かなくなってしまいます。そこで、先の「ハッシュマスク」のプロジェクトで可能性を考えてみましょう。

まず、地域振興券に関しては仮想通貨の仕組みを使い、他の地域の人たちも使えるようにします。すると、興味を持った人が使わないまでも購入してくれる可能性が出てきます。他の地域の人たちが、地域振興仮想通貨を使う場としては、特産品を通販で販売するだけでなく、田園風景や山からの眺め、朝焼け、夕焼けなどの写真をNFT化して販売するのも一つです。地域住民で絵を描くことが好きな人がいればその絵をスキャンする、あるいは、最初からデジタルで描いて出品するのもいいでしょう。

歩道橋の命名権にしても、期間を限定してNFT化して販売します。例えば2021年、2022年と1年単位で区切って、それぞれの権利をNFTとして販売します。権利だけを販売するので、オークション形式でNFTマーケットプレイスに出品。落札者は、購入した命名権のNFTを転売することもできますし、もしも行使するなら（実際に名前をつける）、NFTを焼却して転売できないようにします。これらの売買も、地域振興仮想通貨で行うことができれば、地域の経済規模はグッと大きくなります。

地方に行けば、自治体や公共機関の建物で使われない状態になっているものが多くあります。

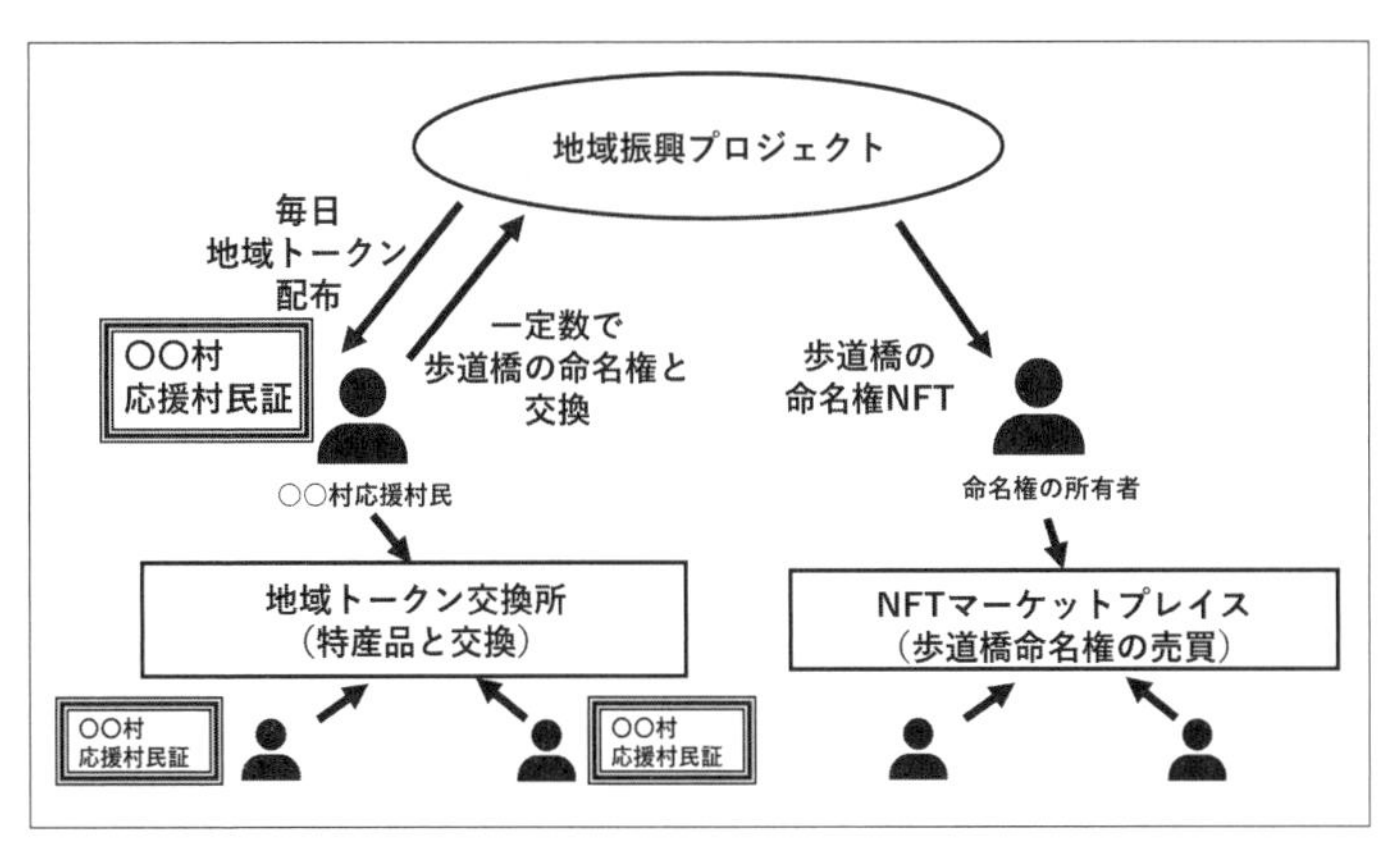

地域振興に「ハッシュマスク」を応用したアイデア。

地域で使おうとしてもなかなか用途がない、借り手がいないわけですが、エリアを広げれば、新たな利用者が出てくる可能性があります。このようなケースでもＮＦＴをうまく活用して、利用権をＮＦＴとして販売するのもいいでしょう。

これらを地域振興仮想通貨、権利の売買という組み合わせで統合していけば、地域振興としては新たな経済圏を作り出すことができますし、システム開発についても新たに作り出すのではなく、すでにあるＮＦＴマーケットプレイスを利用して「ディーファイ」など分散自動化の仕組みと組み合わせていけば、運営や管理の人件費もほとんどかかりません。

5Gが本格的に広がったら何が起きるのか?

携帯電話の5Gが広がっていくと、高速通信、大容量のデータ送信がワイヤレスでできるようになります。映画1本のデータが数秒でダウンロードできるなどと言われていますが、ダウンロードして映画を見るなんて月に何回あるでしょうか。現状の通信環境でも、大半の人はこれ以上速度が速くなったところで何がよくなるのかイメージできないのではないかと思います。人間のインターフェイスのために必要な情報をやりとりするには、今の仕組みでも十分な速度になっています。そもそも、コンピュータが手の上に乗る状態になってからは、人間の処理速度の方が明らかに遅い。身の回りのコンピュータは、いつも「待ち」の状態になっています。

では、なぜ5Gのような高速通信、大容量通信が必要になってきているのかというと、人間ではなく、コンピュータとコンピュータが直接通信するようになってくるからです。コンピュータ同士が通信するようになるというとSF映画のように思うかもしれませんが、実は今でも、すでに行われているのです。例えば、Webサイトに出てくる広告。これらの広告は固定されておらず、アクセスする人によっても違う広告になるどころか、同じ人でも時間帯が違えば異なる広告になります。Ｗｅｂサイトに何回アクセスしているのか、他にどのようなＷｅｂサイトを見ているのか、どんな広告をクリックしたのかなど、スマホやパソコンからの情報を元に、データベースと比較し、さらに広告主の設定をチェックし、広告料金を計算し、どの広告画像を出すのが効果的かを判断し、あなたの目の前に広告が出てきます。クリックした瞬間に何十台というコンピュータがやりとりして、それぞれの人に応じて違う広告が表示されているのです。

このようなコンピュータ同士のやりとりが、今後は、劇的に増えていきます。例えば、車のワイパーがオンになっているかオフになっているかという情報を収集し、その地域に雨が降り出したとか、雨がやんだとか、リアルタイムで知ることができるようになります。道路を走っている数えきれないほどの車と通信し、瞬時に情報を集め、どのエリアが雨になっているかを表示するには、５Ｇのような高速通信、大容量通信が必要になってくるのです。

さらに、「ＩｏＴ（アイオーティー）」と言われる「モノのインターネット」が進んでいくと、ドアノブや椅子、靴といった生活品までがインターネットにつながるようになってきます。スマホを持っていない小さな子供が一人で外に遊びに行っても、椅子に座っていない、ドアを開けた履歴がある、靴の位置情報が公園という情報を組み合わせると、子供が公園に遊びに行ったことが分かるようになります。今後、日本は、ますます高齢化が進み、独り暮らしの高齢者の見守りなどが重要課題になります。かといって、見回る人たちも高齢化し、若者が減っていくなかでは機械による見守りにならざるを得ないでしょう。

そして、そのようなときに、どこの家のドアが開いた、誰の部屋のドアが閉まったといった情報収集が必要になり、「どこ」や「誰」という唯一の情報を扱うために、NFTが活用されてくると思います。もちろん、既存の管理システムでも構築できますが、記録を残す、改ざんできない、バックアップをどうするかなど考えると、ブロックチェーンを利用した仕組みに移行していくと思われます。

例えば、ホテルの各部屋がNFT化され、ブロックチェーンで管理され、さらに予約システムと連動するようになると、チェックイン手続きなど不要になります。スマホに届いたメッセージに部屋番号が書かれていて、その部屋でスマホをタッチすればロックが外れます。その部屋はNFT化されているので、その日の所有者はあなただけで、ダブルブッキングなど起きません。NFTとして部屋の使用権を持っているので、宿泊しない場合は他の人に譲る、転売することも可能になるでしょう。もっとも、実際にやろうとすると、いろいろな制約があるのでそう簡単に実現するわけではないですが、技術的には可能だと言っておきましょう。

レンタカーやカーシェアリングなども同じような方法で、NFTとして管理していくと、今は難しい「また貸し」もできるようになるでしょう。そうやって、さまざまなモノがネットにつながり、NFTで誰がいつ使っているのか、あるいは予約しているのかを記録し、使うときにはNFTを持っている状態になります。ここでも、「ディーファイ」や「ダップス」といったプログラムと組み合わせていくと、管理する人がいなくても運営できるようになっていきます。NFTは、シェアリングエコノミーとは相性がいいので、想像以上にブロックチェーンやNFTが使われていくと思われます。

テレワークからバーチャルワークへ

コロナ禍になって、テレワークがかなり広がってきました。しかし、パソコンやスマホの画面越しでのやりとりは電話の延長でしかありません。一対一での会話なら、問題ないのですが、例えば10人ぐらいでオンライン会議をしていると、横の人とこっそり話をしたいと思ったことがあるでしょう。「この資料の数字、間違ってない?」とか、「来週の打ち合わせ、どうする?」とか、「部長の話、長いよなぁ……」とか耳打ちしたくなりますよね。今の段階でこれをやろうとすると、個別でチャットするとか、LINEでメッセージを送るといった方法になるのですが、これは面倒です。ときには、送信先を間違えてとんでもないトラブルを引き起こしてしまうことにもなりかねません。

このような「機能」を実現しようとすると、「VR（仮想現実）」に進むしかないと思っています。ヘッド・マウント・ディスプレイと呼ばれるゴーグルのような機器を装着して、参加者はアバターになり、仮想の会議室に座って会議を行うのです。遠くの人の声は遠くに、近くの人の声は近くで聞こえるようにリアリティを再現できるので、隣の人に耳打ちなどもできるようになります。

そのような環境が整ってくると、仮想世界の中で使うアイテムも、自分専用のアイテムが増えてきます。ただ、仮想空間なので、他の人も同じアイテムを持っていると、自分の持ち物との区別がつかない状態になります。さらに、データを丸ごとコピーされてしまえば、一点物のアバターの衣装を他の人も持っていることになりかねません。そういうアイテムはNFT化し、自分のモノという目印をつけるようになるでしょう。ビジネスの世界であれば、仮想世界であっても設計図やデザイン、プロトタイプの試作品などが存在します。コピーされないように防止策をとるのは当然ですが、万が一コピーされた場合を考えて、オリジナルが手元にあることを証明するためにＮＦＴ化するはずです。そうやって、ＮＦＴが広く一般に広がっていくと思います。

現実の物理世界では、ＮＦＴによってカーシェアリングなど、シェアリングエコノミーが広がり、バーチャルな仮想空間では、ＮＦＴによって個人の所有物が増えるというのはなかなか面白い現象です。

仮想空間『セカンドライフ』で経験してきたことが、これから起きる

２００７年頃、仮想空間『セカンドライフ』にどっぷりハマっていたという話を書きましたが、先日、その頃の知人数人で話をする機会があり、十数年前に経験してきたことが、今起きていて、『何を今さら……』という気持ちになると口を揃えていました。

『セカンドライフ』内では、仮想通貨のように、「リンデンドル」という電子ポイントを使って経済が動いていています。当時は、「ＲＭＴ（リアル・マネー・トレード）」といって、実際のお金（日本円）に換金することができました。仮想空間内で仕事をして、「リンデンドル」を稼いだり、衣服や乗り物を作って売ったり、仮想世界の中の土地の売買や賃貸もありました。株式会社もあ

り、上場すれば高値で株を売るということも。なかには、『セカンドライフ』内の銀行を運営している人もいたほどです。

実際の社会では、面倒な手続きや規制があって、できないこと、やろうとしても手続きに時間がかかることが一晩で実現できたのです。当時のユーザは、そのような中で、現実社会ではできないことをさまざま経験してきています。『セカンドライフ』は、完成度が高かったこともあり、マスコミにも何度も取り上げられ、大手企業もこぞって『セカンドライフ』内に「支店」や「営業所」を作りました。そうなると、いろいろな立場の人が入ってきて、良からぬことを考える人たちも一定数入ってきます。そのため、規制も一気に進みました。数年後には、「RMT」も禁止になり、だんだんと活気がなくなっていったのを覚えています。

『セカンドライフ』では、NFTと同じようなことも可能でした。仮想空間で車を作った場合、「コピー不可」や「コピー可」の設定ができるようになっています。コピー不可にすると、製作者であっても、その設定を外さない限りコピーできません。こうすれば、デジタルでありながらオリジナルしか存在しない一点物と同じです。画面のコピーはできる（現実世界で言えば写真を撮影するのと同じ）のですが、作った車に乗ることはできないので、アイテムを所有している人しか使えません。所有者が誰であるかも記録されるので、まさにNFTと同じです。

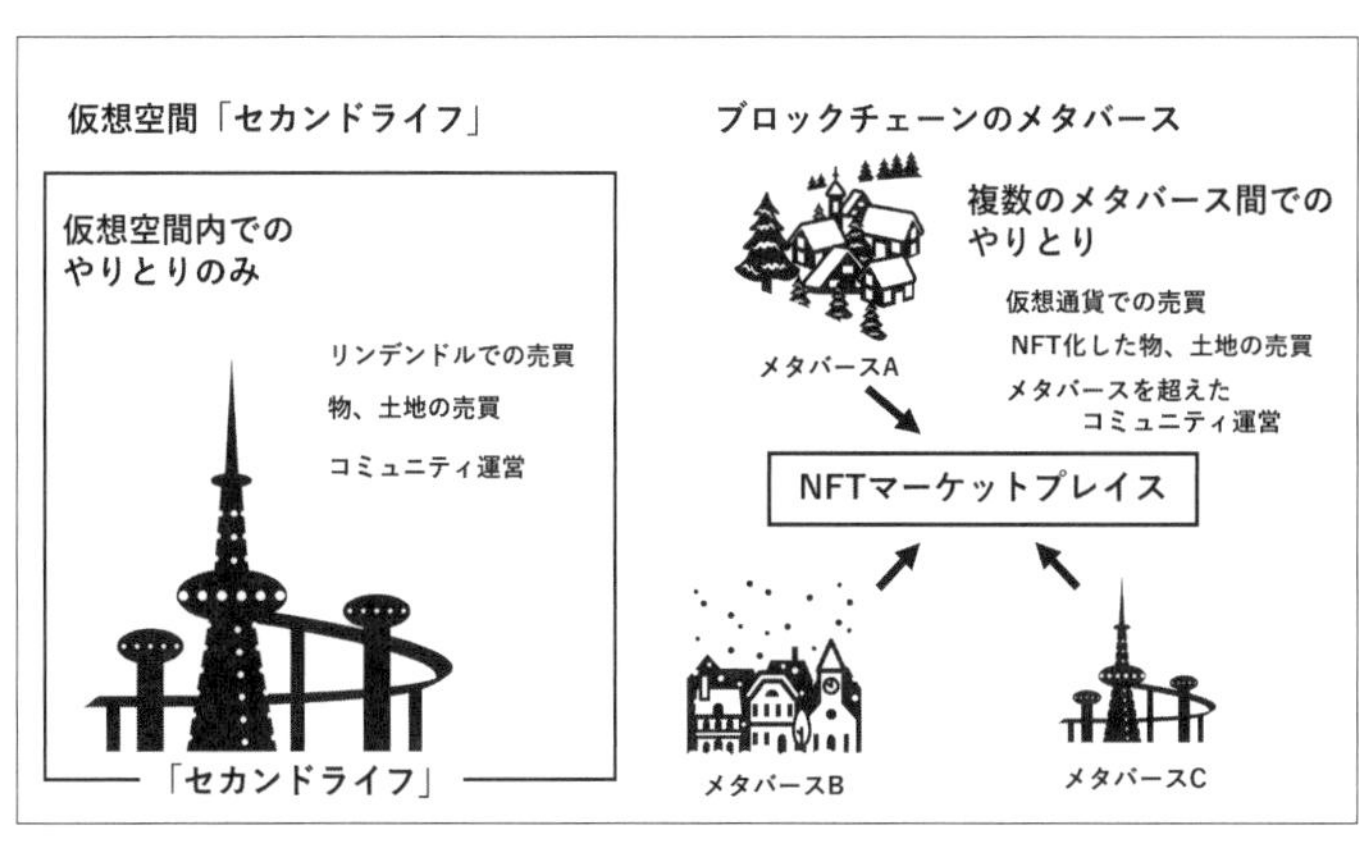

「セカンドライフ」とこれからのメタバースの違い。

ただし、ブロックチェーンで記録しているわけではないので、本当に一つしかないのかは、運営会社の管理システムを信じるしかありませんでした。一つしかないアイテムと表示されていても、その表示が正しいのかを確認する術はありませんでした。この点、NFTはブロックチェーンに記録されているので、誰でも確認することができ、信頼度がぜんぜん違います。

今、仮想空間は「メタバース」と呼ばれるようになり、オンラインゲームの運営方法も変化してきたことで、「メタバース」内でこれまでは考えられなかったようなイベントが開催されるようになってきています。

お互いに撃ちあう戦闘ゲーム『FORTNITE（フォートナイト）』では、米津玄師氏がスペシャルイベントを開催しました。[※49]『フォートナイト』には、戦闘ではなくユーザ同士が語り合う場である「パーティーロイヤルモード」があり、そこが会場になって、「メタバース」内に設けられたステージ上の大型スクリーンに米津玄師氏が登場しました。

『フォートナイト』ではNFTに対応していませんが、ブロックチェーン・ゲームが広がってくることで、「メタバース」ではNFT対応するのが当たり前になっていくでしょう。仮想の世界であっても、そこでのデジタルアイテムの所有権を明確にすることは重要であり、イベントでも参加者限定アイテムを配布するなど、現実世界と同じことが可能になってくるからです。さらにNFTを利用することで、一つの「メタバース」内だけでなく、他の「メタバース」にも持ち込むことが可能になってきます。現実世界で言えば、日本で購入した着物を着て、アメリカに旅行ができるようなものです。そういうNFTでのアイテムが行き来することになれば、新たな経済圏が生まれてきます。「メタバース」という仮想の世界であっても、輸出・輸入といった貿易のようなことが起きてくる可能性を秘めているのです。

さらに、NFTでは、デジタルだけでなく、リアルの物と結びつけてNFT化することが可能になっているので、その応用範囲は計り知れません。将来は、リアルだのバーチャルだの区別していること自体が、意味をなさないことになっているかもしれないのです。

コラム8

VR、AR、MR、そして、XR

仮想空間のようにコンピュータが作り出す世界をどのように人間に見えるようにするのかによって、いくつかのタイプに分けられます。今後、これらの技術は重要になり、また、スマホ以上に身近なものになっていくと考えられます。

現状でのVR、AR、MRの違いと、それらを融合させるXRについて説明し、さらに、NFTとどのように関係してくるのかもお伝えしようと思います。

「VR（ブイ・アール、Virtual Reality、バーチャル・リアリティ）」は、仮想現実と呼ばれ、100%コンピュータがCGで作り出す世界のことです。人間が体感するには、ゴーグルをかけて、液晶画面に映ったCGの世界を見ることで体験できます。ただ、テレビとは違い、右を向けば右の風景が、左を向けば左の風景に自動的に切り替わっていきます。100%コンピュータの作り出す世界なので、窓もない小さな部屋の中にいても、遠くまで見渡せる草原の中に立っているかのように感じることができます。

NFTアートであれば、デジタルデータなので、仮想空間内に展示会場を作り、そこに

ＮＦＴアートを並べて鑑賞することもできます。ただ、現実世界が見えていないので、手を動かしたり、歩き回ったりするときは、小さな部屋の壁にぶつかることになるので、急に現実に引き戻されます。

「ＡＲ（エーアール、Augmented Reality、オーグメンテッド・リアリティ）」は拡張現実という意味で、サングラスのようなディスプレイを通して、現実の中にコンピュータが作り出したＣＧを重ね合わせて見ることができます。例えば、コンピュータが作り出した魚が泳いでいる映像と重ね合わせて見ることができるので、部屋の中を魚が泳いでいるように見えます。もちろん、ＮＦＴアートも表示できるので、実際の部屋の中に展示しているかのように見えるでしょう。

ただし、コンピュータは現実の世界の情報を取り込んではいないので、部屋の壁や本棚、そこに立っている人なども無視して魚は泳ぎ回りますし、ＮＦＴアートも不自然に空中に浮いたままになります。

さらに進んだ「ＭＲ（エムアール、Mixed Reality、ミックスド・リアリティ）」は複合現実と言われる状態で、ＡＲと同じようなサングラスのようなディスプレイを使うのですが、コンピュータに現実世界の情報を取り込ませて、仮想世界の情報と合わせて表示できるようになります。部屋の中をＣＧの魚が泳ぎまわるにしても、部屋の壁や家具の位置を把握しているので、それを避けて泳ぐようになります。ＮＦＴアートも壁に飾っているように表示されます。

ＭＲになると、ドラえもんの「どこでもドア」のように、ＣＧのドアを開けると海外に設定されたカメラの映像がリアルタイムで表示できるようになります。ＮＦＴアートを部屋のテーブルの上に置いて、複数人で議論するといったこともできるでしょう。

ＶＲ、ＡＲ、ＭＲは、以前は個々に使わないとコンピュータの処理速度やネット回線の速度が追いつきませんでした。それがパソコンやスマホが非常に速くなり、回線速度も５Ｇが広がりつつある中で、個別に利用するのではなく、これらの技術を複合的に利用できるようになってきたのです。

さらに今は、「ＸＲ（エックスアール、Extended Reality、エクステンデッド・リアリティ）」と言われるようになり、すべての技術を自在に組み合わせて表現できるようになりました。

その結果、離れた場所にいる人がアバターで、部屋の中に入ってきて打ち合わせをするとか、逆に相手のオフィスへアバターで訪問するといったことができるようになってきました。さらには、人工知能のアシスタントのアバターが先を歩いて、道案内してくれるといったこともできるようになります。

このように、どんどんコンピュータの内部の世界と、現実の世界が融合していくので、ますますデジタル資産やデジタルデータの所有権は重要になり、NFTで持ち主を明確にするという流れになっていくでしょう。

デジタルツインという現実世界と双子の仮想世界

5GとIoTが進むと、デジタルツインという現実世界とまったく瓜二つの仮想世界を作ることが可能になってきます。現実世界のさまざまなモノにセンサーや通信機器が組み込まれ、机や椅子、靴など、どこに何があるのか、そして、それぞれの状態がどうなっているのかがデジタルデータとしてコンピュータに取り込まれます。さらに、車のような多くのパーツから作られる製品も、個々のパーツにIDが割り振られ、それぞれのパーツの状態から作り上げた製品まですべてデータ化されてコンピュータに取り込まれていきます。そうなると、現実世界にあるものすべてのデータがコンピュータに取り込まれていくので、コンピュータ内部に、現実とまったく同じ仮想空間が作り出せるのです。

例えば、あなたが車に乗って家の駐車場を出ると、仮想空間のあなたの車も駐車場を出ます。現実の車が右に曲がれば、仮想空間のデジタルの車も右に曲がります。こういうデジタルツインが存在するようになるのです。

このデジタルツインができると、コンピュータが現実世界のことを理解でき、シミュレーションすることで、より効率のいい快適な世界を計算することが可能になります。例えば、車で郊外のショッピングセンターまで出かけようとすると、デジタルツインの中では、どのルートを通るべきなのか、リアルタイムで計算します。もちろん、今のカーナビでもできますが、地図上での距離や混雑状況で計算するだけです。デジタルツインでは、他の人が運転する車も存在しているので、それぞれの車がどこへ行こうとしているのか、あるいは、これから駐車場から出ようとしているのかまでが計測されています。さらに、天候の変化なども織り込んで、あなただけでなく、他の車にとっても最適な道順を導き出します。

これを実現しようとすると、データ計測が膨大になるので、5Gの普及が必須なことと、膨大な計算を行うために、スーパーコンピュータや量子コンピュータが必要になってきます。私たちが使えるようになるのは、まだまだ先の話ではあるのですが、防災などではすでに応用されています。

地震が起きたときに、どのように建物が揺れるのかを計算するのは非常に重要な防災対策です。これまでは、一つひとつの建物での計算はできていても、団地やオフィス、街全体、あるいは地域や地盤、傾きなどの違いを考慮するのは大変でした。そこで、地盤の情報や、建物の築年数、構造、大きさなど、さまざまな実測データをコンピュータに入力し、町全体をデジタルツインとして仮想空間を作り出しました。

このデジタルツインの中で、小さな地震、大きな地震など、何パターンもシミュレーションすることで、同じ一戸建てでも、揺れが大きい場所や小さい場所、たった100メートルしか離れていなくても、建物の揺れに大きな差が出ることが分かってきました。こういう細かな情報を利用することで、耐震対策をどうするのか、避難所への道順をどうすべきなのかが、より安全に計画できるようになります。

他にも、イベント会場や駅の改修工事など、巨大な資材を運び込んだり、大きな重機が行き来したりするような場合は、デジタルツインの中で、工事のシミュレーションを行っています。周囲の建物や信号機、電線の位置を細かく計測し、交通量の変化などもデータ化します。それを取り込んだデジタルツインの中で工事のシミュレーションを繰り返し、どのような工事手順が効率いいのか、周辺地域への騒音や振動の影響が少ないのか、通行止めにする時間を最短にするには、どうすればいいのかなどを決めていきます。

このようなデジタルツインの仮想空間が進んでいけば、個人や個人の所有物を区別するために、NFTが使われるようになっていきます。車を買い替えた、転職した、引っ越したといった情報をNFTによって、トレースし最新情報に更新することで、より精度の高いシミュレーションが可能になるからです。それによって、より個々の人たちの快適な生活が送れるようにシミュレーションし、効率よく世の中が動くようになっていきます。

ただ、そのような世界では、プライバシーをどのように考えるのか、NFTの技術との両立をどうするのかは難しいところです。これについては、後述します。

「マイナンバー」とNFT

なかなか普及が進まないマイナンバーカードですが、これこそNFT化してブロックチェーンに記録すればいいのではないかと考えてしまいます。説明するまでもありませんが、「マイナンバー」は、日本に住んでいる人が必ず持っている番号で、すべて異なる番号が割り振られています。まさにNFTのようにオリジナル（個人）しかないということを示している番号です。ただ、その管理は国に任されていて、誰がどの番号なのか、どのように管理されているのかはブラックボックスになっています。たとえ自分の「マイナンバー」であっても、どこの誰がいつ何のために使ったのかなど、すべてが開示されているわけではありません。これをブロックチェーンにして、すべての記録が見えるようにすれば、「マイナンバー」の利用価値が一気に上がるでしょう。

こういう書き方をすると、「赤の他人が、自分の住所や氏名などを見ることができてしまうのは、不安」と感じますよね。ブロックチェーンに記録された個人情報については、「誰が何を見たか」もブロックチェーンに記録されることで安心できるのではないでしょうか。また、隠しておきたい情報は、認証が必要で許可した人だけが閲覧できるようにするという方法もあります。これをブロックチェーンの「スマートコントラクト」で実現すれば、誰かが勝手にルールを変更することはできません。もちろん、ひそかにデータを覗き見ることもできなくなるのです。

時々、「DV（家庭内暴力）」で、住所を知られないようにしているのに、誤って役所の担当者が教えてしまうというトラブルがあります。そうしたニュースを見るたびに、なぜ、データ共有ができていないのかと疑問、いや、憤りを感じるのです。こういう情報こそブロックチェーンで管理されていれば、住所などを見せないという設定はすべてに共通になっているので、誤って教えるなどありえません（もっとも、行政の縦割り、システムが連携していない、手書きの書類でやりとりなど、仕組み以前の問題も多くありますが）。

プライバシーの概念も変えるＮＦＴ

インターネットの普及により、個人情報保護法なども制定され、プライバシーに関する法的な制限が厳しくなってきています。どちらかというと、許可を得ないと何も使えない状態になって、気軽にアンケートを取るなどできなくなってきています。しかし、このプライバシーというのは、利便性と表裏一体となっているので、どこまで利便性を求めるのか、どうやってプライバシーを守るのか、そのサジ加減が難しいのは事実です。

この点については、私は、プライバシーの問題に関してブロックチェーンとＮＦＴとが広まってくれば透明性が高まり、プライバシーの概念も大きく変わってくるのではないかと考えています。

例えば、現時点では、インターネットのサービスをはじめ、銀行のＡＴＭ、クレジットカードなど、とにかく、パスワードが必要です。パスワードは、機械に、人間側が本人であることを示すためのものです。個人的には、このパスワードを入れるというのは嫌いで、なんとなく機械から「本当に本人？」と疑いの目を向けられているように感じます。何度も使っているサービスなら、「あ、〇〇さん、いつも、ありがとうございます」とパスワードなど入れなくても、機械の方で認識してくれてもいいでしょう。こうも、毎回、毎回、一見さんのように確認されないといけないのかとうんざりするのです。

ブロックチェーンやＮＦＴ、そして、ＩｏＴを利用していけば、どこにいるのか、どのように移動したのかを記録することで、本人確認がかなり軽減できるはずです。これには、かなり大きなパラダイムシフトが必要で、自分自身を示すマイナンバーのＮＦＴの所有権を、家や車、職場などに渡す必要があります。家や車が、「人」を所有するという考え方です。実際には、家にいる、車に乗っているといった状態を表現しているにすぎないのですが、ＮＦＴの説明に合わせると、所有権を家や車に譲渡するということになります。こうすれば、ＮＦＴは一つしかないので、その人が、家にいるのか、車に乗っているのか、職場にいるのかなどの情報がブロックチェーンに記録されます。

例えば、家を出ると、ドアのＩｏＴが出たことを認識し、家が個人ＮＦＴを返却します。靴のＩｏＴが駅までの位置情報をブロックチェーンに記録します（この時点では、道路が、あなたを所有しているとも考えられます）。靴の位置情報で駅に着けば、駅が個人ＮＦＴを所有し、電車が来ると、電車に所有権を渡します。職場の近くの駅に着いたら、電車から駅に、そして職場に着けば、職場が、個人ＮＦＴを所有するのです。

こうやって、あなたの個人ＮＦＴを「物」が所有することで、どこにいるのかが明確になります。そうすれば、銀行に設置されたＡＴＭを使うときに、あなたがそこにいることをＮＦＴの所有者（銀行）が確認できれば、本人だと自動認識できます。

もちろん、単に位置情報のようなものだけでなく、顔認証なども利用するのですが、パスワードなどは不要になるはずです。余談ですが、顔認証や虹彩などの生体認証には、他の認証とは違う欠点があります。写真を撮影して、顔認証するとしても、髪型も変化するし、化粧もします。怪我や病気などでも外見はかなり変化するので、ボクサーの激しい打ち合いの後の腫れた顔では認証できないかもしれません。指紋認証にしても、怪我して絆創膏を貼りつけていたら認証できなくなりますし、虹彩は変化しないと言われてはいますが、カラーコンタクトレンズを入れていれば認証できません。このように生体認証は、人間側が同じ状態を維持することが難しいのでそれだけに頼るのはかなり危険です。生体認証は補助的なものであり、複数の認証の組み合わせが必要でしょう。

リアルタイムにどこにいるのかが記録され、それによって本人認証が機械によって自動化されていけば、手ぶらで出かけても何も問題ない世界になりそうです。シェアリングエコノミーで、移動するのに車を使うこともできるし、電車に乗るにも、レストランで食事をするにも、本人認証ができれば支払いは自動化されます。

同じような構想は、交通機関や自動車業界などでも考えていて、乗り物を別々に使うものではなく、一括して一つのサービスとして使える「MaaS（マース）」構想があります。「MaaS」とは「Mobility as a Service」の略で、電車やバス、タクシーなどの交通手段を統合し一つのサービスとして提供します。これができると、電車やバスの時刻、各交通機関の料金をバラバラに調べていたものが一括で検索できるようになります。もちろん、決済も1回で完結し、個別に支払う必要もありません。駅に着いたら、タクシーも用意されている状態になります。その基幹になる技術として、ブロックチェーンも検討されています。

今だからこそNFTをビジネスに活かすことを考える！

かなり先の世界の話、それも、SF小説を読んでいるような内容も書きましたが、それぐらいイマジネーションを広げられるのがNFTだと思っています。すでに説明しましたが、「ハッシュマスク」のプロジェクトは、まだまだ説明しきれないほどいろいろな仕掛けが盛り込まれています。そういう発想ができるかどうかが、今後のビジネスを大きく左右します。NFTのような概念を変える技術は、最初はなかなか理解しにくく、一部の人がなぜ大騒ぎするのかイメージできません。その結果、取り残されてしまうという残念なことは、これまでにも何度も起きています。

例えば、QRコード。1994年に日本の自動車部品メーカーのデンソーが開発しました。トヨタ生産方式の部品管理でバーコードを使っていたのですが、バーコードでは情報量が少ないために、一つのパーツに複数のバーコードが張りつけられていたのです。1回で読み込めないので効率が悪く、何本もバーコードがあると読み飛ばしてしまうこともあります。それを改善するために、2次元バーコードのQRコードが誕生しました。その当時は、在庫管理や情報読み取りの置き換えのように考えられていたのですが、２００１年にＮＴＴドコモやコカコーラなどが自動販売機に携帯電話の画面に表示したＱＲコードを読み込ませて決済する実証実験を行いました（私も、実際に自動販売機で買ったことを思い出しました）。

画期的なことだったのですが、その後、おサイフケータイが登場し、ＱＲコード決済はひっそりと姿を消したのです。

ところが、お隣中国では、ＱＲコード決済として爆発的に広がりました。今やそれは、世界中に広がり、日本でも「〇〇Ｐａｙ」と言われる決済は、ＱＲコード決済になってきています。もし、日本でＱＲコード決済が先に広がっていたら、あるいはその後のおサイフケータイで使われた「フェリカ」が世界に広く浸透していたら、日本のキャッシュレス決済は違う状態になっていたでしょう。

何が世界を変えていくのか、どのように変えていくのかは、想像力を広げられるだけ広げていかないと、ＮＦＴやブロックチェーンの本当の真価が発揮されないと思っています。本書の内容を起点として、あなたの想像力で新しいビジネス、世界を変えるようなサービスが生まれることを願っています。

まとめ

・10年もあれば新たな技術が世の中を変えていく。NFTは、そういう可能性を秘めた技術。
・NFTとともに広がってくる「ディーファイ」と「ダップス」の二つの技術。
・「ハッシュマスク」のプロジェクトの仕組みを理解すれば、NFTやブロックチェーンを使った新しいビジネスのヒントが見えてくる。
・5Gでコンピューター同士が直接情報をやりとりし、あらゆるモノが「IoT」になる。
・パソコンやスマホでのテレワークから、仮想世界を使ったバーチャルワークの時代へ変化していく。
・2007年ごろ流行った仮想空間『セカンドライフ』で起きていたことが、今、現実世界と融合しながら起きている。
・「マイナンバー」をNFTと考えると、ブロックチェーンによって、これからの世の中が大きく変化する。
・プライバシーの概念をも変えていくNFTとブロックチェーン。
・これからの変化を先取りしてビジネスに活かす想像力が必要。

おわりに

最後までお読みいただき、ありがとうございます。

NFTについて、初心者向けに全体の世界を説明したつもりですが、現在進行形で広がっている技術なので、原稿を書いている間にも、次々と新しいNFTの使い方が出てきています。

ここ数日、急浮上しているのが「ルート（Loot）」。これは、何かというと、冒険ゲームで出発するときに、何を装備しているのかが書かれた10行ほどのメモ。それがNFTとして販売されています。それをベースに冒険の物語を作り、新たなゲームなどが作られていくそうです。このメモが、高値で取り引きされ、始まってたった5日間で、すでに50億円近い取り引きに！[※50]

ゲームのキャラクターや絵などは思いつきますが、装備品のリストだけというのは、誰も思いつかなかったNFTでの販売方法です。そして、それが実際に取り引きされているのが驚くべき事実です。今後がどのようになっていくか分からないですが、このようなアイデアだけでお金が動き出すというのを知れば知るほど、先に思いついて、行動することの重要性を感じます。

本書では、ＮＦＴが、現状でどのような商品やアイテムが売られていて、実際にどのような人が購入しているのか、また、アート以外にもどのようなＮＦＴが販売されているのかを幅広く紹介しました。いろいろな事例がありすぎて、すべてをのみ込むのは難しいかもしれませんが、それぐらい急速に広まっているということを理解していただければと思います。

ＮＦＴマーケットプレイスは、日々、新しいところがオープンしているので、すでに数えきれないほどです。そこまで広がっていながらも、法律が追いついていないのも事実で、これからガイドラインや法整備ができてくるでしょう。そうなってくると、確かに安心して取り引きできるようになっては来ますが、制限がある分、自由な発想も制限されます。個人的には、そこは残念に思うので、ぜひ今のうちに、もっと自由な発想をして、どのようにビジネスにつなげられるか考えてほしいと思っています。ひょっとしたら、先の「ルート」ではないですが、１週間で何十億円もの取り引きになることだってありえるのです。

最後の章では、３年から５年先のことを想像して書きました。ただ、その通りいくかどうかは、誰にも分かりません。逆に、もっと早い段階で実現することもあるでしょう。そして、日ます。

本国内だけでなく、海外へ進出するための手段としてもＮＦＴを活用してほしいとも思ってい

ＮＦＴであれば、マーケットプレイスに出品するだけで、特にやりとりもありません。メールの問い合わせもないですし、ましてや海外に荷物を送る必要すらありません。支払いも仮想通貨ですので、本当に送金されるのかといった不安もありません。これは大きなチャンスだと思います。たった1枚の絵、1枚の写真を出品するだけでも、海外市場を意識できるので、これからのビジネスの意識も変化するでしょう。ぜひ、挑戦してみてください。

最後に、今回、このような機会を与えていただき、また、ドタバタして原稿が遅れてもじっと我慢していただいた株式会社ライブ・パブリッシングの後藤氏に感謝しています。また、夜遅くまでパソコンを叩いていても、それを温かく見守ってくれた妻に、ありがとう。

２０２１年９月吉日　足立　明穂

読者特典

まだまだスタートしたばかりのＮＦＴ市場。本書でも書きましたが、出品するとか、購入するとか、具体的にどうすればいいのか分からないことが多いと思います。そんな人でも、安心して出品や購入の体験ができるテスト環境があります。
今回、そのテスト環境の使い方を図解したレポートを作成しましたので、ぜひ、どのようなものか体験してみてください。仮想通貨を使いますが、テスト用の仮想通貨を手に入れることができるので、１円も使うことはありません。安心して、体験してみてください。

プレゼントのダウンロードページ
次のＵＲＬか、ＱＲコードよりデータのダウンロードをお願いします。
https://livepublishing.co.jp/download/books/nft/opensea.pdf

脚注一覧

※1 正確には24ピクセル×24ピクセル。300dpiで計算すると2ミリ×2ミリの印刷画像となる。
※2 https://www.larvalabs.com/cryptopunks
※3 https://mashable.com/article/cryptopunks-ethereum-art-collectibles
※4 https://www.cryptokitties.co/
※5 https://onlineonly.christies.com/s/beeple-first-5000-days/beeple-b-1981-1/112924?ldp_breadcrumb=back
※6 https://www.dapp.com/
※7 https://bitcoin.org/bitcoin.pdf
※8 https://www.afpbb.com/articles/-/3059098
※9 https://biz-journal.jp/2021/06/post_229733.html
※10 https://www.youtube.com/watch?v=C4wm-p_VFh0
※11 https://hypebeast.com/jp/2021/7/banksy-valuart-spike-NFT-auction
※12 https://www.cryptoartjapan.com/
※13 https://prtimes.jp/main/html/rd/p/000000009.000073663.html
※14 https://note.com/sekiguchiaimi/n/ndbe15f2f4bdc
※15 https://twitter.com/jack/status/20
※16 https://nbatopshot.com/
※17 https://nwayplay.com/

※18 https://www.afpbb.com/articles/-/3337990
※19 https://prtimes.jp/main/html/rd/p/000000080.000042665.html
※20 https://prtimes.jp/main/html/rd/p/000000019.000035719.html
※21 https://www.itmedia.co.jp/news/articles/1810/26/news077.html
※22 https://ja.cre8tiveai.com/ep
※23 https://www.itmedia.co.jp/news/articles/1604/08/news094.html
※24 https://prtimes.jp/main/html/rd/p/000000002.000081425.html
※25 https://news.mynavi.jp/article/20210428-1880911/
※26 https://twitter.com/nftex_PR/status/1304322769522323457
※27 https://prtimes.jp/main/html/rd/p/000000049.000021553.html
※28 https://www.neweconomy.jp/posts/127801
※29 https://sportsseoulweb.jp/star_topic/id=27205
※30 https://prtimes.jp/main/html/rd/p/000000017.000044158.html
※31 https://artmarket.report/
※32 https://www.thehashmasks.com/
※33 https://prtimes.jp/main/html/rd/p/000000012.000039475.html
※34 https://bijutsutecho.com/magazine/news/headline/24311
※35 https://prtimes.jp/main/html/rd/p/000000202.000005556.html
※36 https://prtimes.jp/main/html/rd/p/000000006.000079845.html

※37 https://prtimes.jp/main/html/rd/p/000000006.000079697.html

※38 https://prtimes.jp/main/html/rd/p/000000003.000085855.html

※39 https://prtimes.jp/main/html/rd/p/000000007.000037896.html

※40 https://www.fsa.go.jp/news/r1/virtualcurrency/20190903-1.pdf

※41 https://getnews.jp/archives/2968763

※42 https://internet.watch.impress.co.jp/docs/column/blockchaincourse/1326645.html

※43 https://twitter.com/dapp_com/status/1423160391585042433

※44 https://www.instagram.com/p/CNgMbgLlJXX/

※45 https://www.neweconomy.jp/posts/148685

※46 https://crypto.watch.impress.co.jp/docs/news/1211554.html

※47 https://www.neweconomy.jp/posts/148614

※48 https://news.mynavi.jp/cryptocurrency/bitcoin-mtgox/

※49 https://blog.ja.playstation.com/2020/07/31/20200731-fortnite/

※50 https://thebridge.jp/2021/09/the-latest-NFT-fad-is-a-text-based-fantasy-game-building-block-pickupnews

参考文献

岡田温司『ビジネス教養としてのアート』（KADOKAWA　２０２０年刊）
深尾三四郎、クリス・バリンジャー『モビリティ・エコノミクス』（日本経済新聞社　２０２０年刊）
足立明穂『ビットコイン解説本』（Kindle　２０１４年刊）
足立明穂『ＮＦＴ解説本　なぜ、デジタルアートが75億円で売れるのか？』（Kindle　２０２１年刊）

初出　本書は書き下ろしです。

足立明穂（あだち・あきほ）
ITビジネスコンサルタント
京都工芸繊維大学大学院修士課程修了。情報処理試験1種・2種取得。元プログラマー。大型計算機OS開発、C++コンパイラ開発、ローカライゼーション等を経て、インターネット関連ベンチャー企業や新規事業立ち上げに関わる。一方で、産学官研究開発プロジェクト事務局、経済産業省 産業クラスター計画ネオクラスター推進共同体コーディネーターなどを経験。
現在は、フリーランスで、ITコンサルタント、講師、著作業等を行う。
著書に『ビットコイン解説本』『NFT解説本 なぜ、デジタルアートが75億円で売れるのか?』『Facebook仮想通貨（暗号資産）Libra（リブラ）解説本 概略編』（いずれもkindle）がある。

だれにでもわかる NFTの解説書
二〇二一年一一月 四日 第一版第一刷
二〇二二年 七月 七日 第一版第四刷
著者 足立明穂
発行者 後藤高志
発行所 株式会社 ライブ・パブリッシング
〒160-0022
東京都新宿区新宿1-24-1
藤和ハイタウン新宿807号
☎090-4387-9478
https://livepublishing.co.jp
校正 鈴木千佳夫
組版 株式会社 明昌堂
印刷・製本 株式会社 広済堂ネクスト

 ISBN978-4-910519-01-2